新世纪教师教育丛书·修订版

袁振国　主编

道德领导

——新型的教育领导者

蔡怡 著

教育科学出版社

·北京·

《新世纪教师教育丛书》修订版前言

　　振兴民族的希望在教育，振兴教育的希望在教师。

　　教师是一种专门化的职业，它有自己的理想追求、有自己的理论指导、有自觉的职业规范和成熟的技能技巧，具有不可替代的独立特性。教师不仅是知识的传递者，而且是道德的引导者，是思想的启迪者，是心灵世界的开拓者，是情感、意志、信念的塑造师；教师不仅需要知道传授什么知识，而且需要知道怎样传授知识，知道针对不同的学生采取不同的教学策略。教师职业的专门化既是一种认识，更是一个奋斗过程，既是一种职业资格的认定，更是一个终身学习、不断更新的自觉追求。中国教师队伍的培养和培训正在发生着历史性的变革，正在从发展数量向提高质量转变，提高质量将成为新世纪教师队伍建设的主旋律。在这种转变的过程中，无论是职前培养还是职后培训，无论是教育机构还是教师个人，都需要以一种新的姿态迎接这一转变。

　　从我们对广大中小学的调查中了解到，面对全面推进素质教育的新形势，当今教师迫切需要不断更新教育理念，提高将知识转化为智慧、将理论转化为方法的能力，提高将学科知识、教育理论和现代信息技术有机整合的能力，增强理解学生和促进学生道德、学识和个性全面发展的自觉性。为了响应这种挑战，广大的师范院校和教师培训机构都在积极探索教师教育的新内容和新方法。以华东师范大学为例，1996年起，就有组织地开发了现代教育理论与教育实践紧密结合的新课程系统和教学模式，这些课程包括：教育新理念、课程理论与课程创新、现代教育技术、教育评价与测量、当代教学理论、教学策略、心理健康的指导和研究、网络教学、课件制作、教会学生思维、师生沟通的艺术、优秀班主任研究、中小学教学与管理案例分析、教育研究方法、基础教育改革的理论与实践等。参加课程开发的教师60%具有教授、副教授职称，80%具有硕士、博士学位。这一项目列入了教育部师范司"面向21世纪高师教学与课程改革计划"重点项目。我主持了这一项目的研究和实践。根据边实践、边研究、边总结、边改进的方针，经过几轮教学，逐渐形成了一批相对成熟的教材，在反复教学的基础上，经过精选整合、修改补充，于2001年由教育科学出版社出版。由于这套丛书理念新、注重理论联系实际、强调可操作性，出版以后受到了读者极大欢迎，数次甚至数十次重印，为满足教师教育的新形势、新要求进了绵薄之力。

正是由于这套丛书影响大、受欢迎程度高，所以更增强了我们的责任感。丛书出版的六年多来，教师教育的知识、观念不断更新，教师教育的实践不断发展，我们对教师教育课程的认识也不断深化，为此，根据教师教育的新形势和新要求，我们对《新世纪教师教育丛书》进行了修订。这次修订包括两方面，一是对第一版图书进行了较大修订，更新了内容，改善了结构，修饰了语言，修订了错误；二是丛书新增了若干选题，以反映教师教育的新要求。

祝愿丛书与我国一千多万中小学教师共同成长。

袁振国
2007 年 7 月

作 者 前 言

　　本书讨论的是教育领导者如何唤起教育工作者的道德动机和需求，激励他们自愿地为组织作出卓越的贡献。写作本书的目的，是想从教育管理内隐价值的观点指出，在经济繁荣、竞争激烈的社会里，教育领导者应该拥有什么样的管理观念、倡导什么样的领导行为，才能使"从事教育"的人更有品位，"从事教育"的生活更有意义。本书讨论了教育领导者如何对组织成员进行价值引领，领导者要创造一种氛围，驱动人们把理念化为行动，把愿景化为现实，把障碍化为革新。本书阐述的领导的"道德原则"包括了教育的社会责任、专业精神、人文情怀、发现和诉诸共同愿景等。简单地说，教育领导者要更多地运用信任、情感、精神、理想来感召人、鞭策人，使得领导的道德权威发生作用。

　　本书的"道德领导"概念，借鉴了西方道德领导、转化式领导、文化领导、愿景领导等多种教育领导概念。也即是说，本书的"道德领导"是国际教育管理视野内的一个新概念，更多地包含了自由、平等的现代价值观，科技与人文和谐发展的观点。这种观点贯穿全文，并在第一章中集中体现。本书第一章指出，学校道德领导者注重的三种领导行为是：通过价值进行领导，以文化的力量实现领导，建立学校道德共同体。每一位教育领导者，包括各类学校的校长、教育行政领导者甚至教师，在每一种环境中，当我们有机会成为一名领导者的时候，例如成为一名班主任、一名教研室主任，一名带领学生的教师，我们都可以做到。每一个人，首先是自己的领导者，然后通过自我去领导他人。

值得指出的是，本书阐述的道德领导概念并不局限于对领导者个人道德素养的强调，一方面，我们反对只作空洞的逻辑推演，脱离现实唱"道德高调"；另一方面，我们也反对向现实境遇无原则投降，诱导人们迎合世俗、回避崇高。

作者尽最大可能把道德领导内涵用平实、通俗的文字表达出来，运用的实际案例也都是教育日常生活中所碰到的，使读者易于接受。然而，道德领导仍然是一个偏于"形而上"的概念，"通俗"与"深层理念"之间存在很多矛盾，运用较强的叙述把刻板的理论活化，是笔者所追求的。

在本书成书的过程中，得到了很多人的关心，有我尊敬的师长，有我同道中人，有我朝夕相处的亲人，他们对教育事业的执著与投入感染着我，激发了我探讨、阐释道德领导的热情。

要把这本书的贡献者名单全部罗列出来太困难，这里既有为我提供精彩建议的师友，也包括付出辛勤劳动的编审。值得一提的是，本书写作还得到江苏省教育厅高校哲学社会科学研究项目和江苏省教育科学"十一五"规划重点课题研究经费的资助。在本书出版之际，我无法把我的感激之情完全表达出来，我所能做的，是将大家的关心用到对道德领导的分析中，以我们共同的努力支持教育事业的发展。

2008 年 12 月

目　　录

2

1

道德领导：学校管理的范式转换

在努力改善学校方面，
领导的注意力不得不转向更为精妙、
更为隐性和更高的着力点，
拓展领导的价值结构和权威基础。

托马斯·J. 萨乔万尼，美国教育管理学者

在讨论学校领导实践时，我们首先要找到自己的声音，而道德领导——那个建立在一系列价值和理想观念上的声音，能够赋予我们的学校以新生。

[案例 1-1]　　驱使一所学校前进的领导人和他的价值观

北墟中学是苏南地区的一所农村初级中学，和这个地区其他 26 所乡村中学一样，北墟中学为本地区的乡镇和农村家庭提供初中教育。建校三十多年，学校历经多任领导，其办学声誉不算好也不算差。在苏南经济发展速度还不是特别快、学生也不怎么流动的年代，北墟中学作为一所乡镇学校，基本在上级部门的指令下行事。当地群众认为学校的教学质量还过得去。然而这种认可在 20 世纪 90 年代中期以后发生了很大改变，这主要是因为其他乡镇学校的快速崛起。在这个地区的最南端，有两所学校，由于创造了教育品牌，吸引了大批学生前去求学。在这两所学校的带动下，该地区的其他一些学校也在努力提高办学质量。然而在竞争中，北墟中学一成不变的教学和没有生机的管理，造成教师士气低落，生源流失逐年增多，学校名声迅速下滑。

2003 年是北墟中学生源流失最严重的一年，向外择校的新生有 135 名，占到本学年应入学学生人数的三分之一还多。地方教育局出于教育均衡和扶持弱校的考虑，决定派沈新华接任北墟中学校长。沈新华四十岁出头，来自南部著名的桃李中学。在桃李中学，他担任过教研室主任、德育主任、教学副校长等，平时工作扎实。选派沈新华去北墟中学当然受到了当地乡民的欢迎，但是，在强校成长起来的沈新华还没有面对过士气低落、人际关系错综复杂的环境。沈新华一直是一个责任心特别强的人，他决定分步实施他的改善计划：先集中力量把教学业绩搞上去，而后考虑学校长远发展的问题。

沈新华的工作从两个方面开展：制度建设和情感管理。经过一番调查后他发现，北墟中学之所以跌入低谷，并非教师的能力问题，而是责任心不够的问题。该校教师的学历层次比一般的乡镇学校高许多，但过去的一些管理制度，都已是"陈年旧制"，不适合新时期的发展了。为此，他在充分发动教师参与的基础上，从德育、教学到学校生活的每一个环节都建立起相应的制度，使每项工作都做到有法可依。制度形成后，沈新华带领相关人员扎扎实实地落实。

建立新的考评机制是沈新华上任后做的第一件事。他认为，考评要能反映优秀教师的利益，凸显"优劳优酬"的分配原则。为此，他采取了"筑起同一起跑线"的竞争方案：取消原有的"快班""普通班"，将同年级的班级重组为平行班，各班平均成绩基本相同。按照班级建制，教师被分成由各科教师组成的小团队，在组合上，注意使整体教学水平相当，各个团队抽签决定任教班级。建立起平行竞争的团队后，在班与班、科目与科目之间设置奖励细则，与教师的业绩挂钩。

沈新华还重点抓了"考试"工作。他强调，考风是形成良好教风和学风的关键。"在这个问题上一定要严格要求自己。"他说，"如果考风不好，势必导致学生平时学习马虎，养成侥机心理，丧失学习意志；而教师，也会敷衍工作，产生颓废心态"。于是，北墟中学开始前所未有地推出"严格纪律、杜绝作弊"的口号。很显然，沈新华的意图并不是针对某一次两次的考试，而是希望借此扭转一种风气，强调考试道德，其最终目的是要让北墟的学生有真正的实力走出去竞争，为学校长远发展奠基。

沈新华的工作还是"情感化"的。例如，他认为不要用行政方法去"压"人，而要用人格、关心去"感染"教师。他想起了以前老领导的嘱咐："要团结一批教师，让他们逐步认可你"，"基层学校，要脚踏实地地干，接受群众的检验"。于是，他决定："我要给大家谋福利，也要善于去欣赏、表扬教师，更要体现对一些好教师的尊重。与教师的交流是重要的，要大方、大度，不摆架子。"

"情感化"工作中出现了很多风波，有时需要领导人付出相当多的耐心。为了学校整体利益、长远利益，有时甚至顾不上个人威严。实际上，每所问题学校都会有一些特别喜欢挑战领导权威的教师。一名体育教师在沈新华刚上任几天就给他"颜色"看了。在为推行考评机制而召集的全体教师会议上，这名教师带头与其他人一起顶撞沈新华发言，指责考评机制不考虑小学科教师的利益。沈新华过后说道，如果当时他不忍耐，就会激起教师的敌视，他们在"非组织群体"中有点影响力，本身就对外来的校长有排斥心理。

这种情况，沈新华告诉自己要冷静处理，在教师还没有认可自己的权威之时，要尽可能地采用"沟通"和"感化"的方式。"一块石头挡在你面前，你可以想办法搬开它，也可以把石头抚平为你所用。"沈新华说。语文组J老师是学校有名的"刺儿头"，他常在教师中讥讽学校的管理。沈新华决定以一种"非组织化"的方法做J老师的工作。他安排了一次茶聚，参加的人有J老师的几个朋友和与沈新华相熟的人，在劝导性的、协调的气氛中，沈新华进行了善意的批评："我们是朋友，又是工作上的同志，对待工作我们要有做教师的责任心、职业良心。""感化"工作的确也是有效果的，多次诚恳相待，J老师的妻子也感动了，她主动提出要配合沈新华把J老师的"坏脾气"改过来。

教师的精神振奋，是因为他们得到了授权和信任。不仅如此，从一开始，沈新华的心中就有更长远的打算，他认为学校最终要成为一所管理起来很轻松的学校，就应该培植"共享价值观"，用文化来进行管理。北墟中学应当变成这样一所学校：在学校中，每一个人都感到受重视，有价值，能看到工作不断改进。学校的价值观能激发全体成员的潜能，教师都能全身心投入学校愿景，为他们所珍视、所信仰、所承担的义务而做事。由于教师都能自我设置目标、自我激励，他们不用担心受到指责，他们能对自己的行动负责。

依靠大家的勤奋和智慧，仅两年，北墟中学走出了低谷，中考成绩跻身全市前八名。这所曾被兄弟学校同情的学校一跃成为人们瞩目的对象。优良的教育质量、良好的教风、学风为北墟中学带来了很多荣誉，如"教学质量考核优秀学校""课改先进学校""优秀家长学校"等。省里有关科研人员、媒体还专门到北墟中学组织了关于"有效教学"的现场讨论会。

沈新华提高教学业绩的愿望基本实现了，随着学校越来越好的口碑，学生开始了回流、倒流。然而，沈新华并不满足于此，他认为，要使学校长期振兴，还需要制定能体现学校理念的战略规划——一种关于学校未来发展的愿景。这种愿景应当转化为师生的共同目标，融化在人们的工作心态中，使教师感到在学校里工作"有奔头儿、能实现价值"，使学生感受到全面的教育关怀。于是，北墟中学在强调教师"专业上的互相依赖"，引导学生"自我管理"等方面继续努力。未来五年中，北墟中学打算成为一所什么样的学校？沈新华与学校教师们的回答提供了一系列明确的方向：

➤北墟中学的办学理念是"夯实基础，主动适应，抓住机会，稳步发展"，理想的北墟中学应当是地区教育系统内的领头羊，应当超前思维，维护学校的声誉。

➤构建以师生共同发展为宗旨的和谐校园。学校应该是师生温馨的家园，充满相互关爱；学校也应当是师生成长的乐园，大家分享教与学的经验，经历风雨春秋，收获人生果实。

➤扎扎实实推进素质教育，激发学生的上进心，他们始终是学习的主人。关注学生道德品质的养成，使他们有同情心、有竞争力。学校有计划地开展一些活动，培育孩子们的社会责任感。

➤学校引领教师的发展，并提供尽可能的帮助。在每学期的工作计划中都要有这方面的内容。校长室、教学处、教科室都参与到教师的培训中，各年级组建立学习制度，定期集中活动，交流教学、切磋经验。学校鼓励、支持教师参加外面的教研、科研、进修活动。教师应当拓宽专业视野，把握本学科教学方法的最新动态。

➤班主任每接一个班都要有长打算、短计划。要做好班级的进步计划、形象工程。关怀每一个孩子的成长，了解每一个孩子的特长，教师要帮助他们，让他们有展示自我、自主发展的空间。

➤学校制定近期和远期发展规划。每一学期确定实施方案，制定达标要求，将目标和任务分解到每一科室和教职员工本人。学校的办学目标应当是师生的共同愿景。

当有人猜测沈新华很快就会升迁，问起他什么时候离开北墟时，沈新华笑笑说："我不会离开，我要亲眼目睹这所学校成为名校。"

北墟中学成功地转型了，并在建设优质学校的跑道上继续努力着，这之中，校长沈新华展示了卓越的领导能力。他的领导能力不只是给教师施加强有力的行政领导，也不只是注重满足教职员工的利益需求。沈新华的特别之处在于他超越了一般的领导境界——在他的领导方式中，更注意培植学校成员共享的价值观，使教师为他们所珍视、所信仰、所承担的义务而做。尽管在进行学校改善之初，沈新华也把很多精力放在确立竞争机制、发展监控系统之上，但沈新华的工作始终都围绕着培植人、激发人，通过让教师理解价值，使教师认同并全力投入学校目标与任务而工作。学校在教学成绩提高的同时，其社会资本也在同步上升。随着日常管理逐步有序，质量目标逐步实现，他的视线更多地投向学校愿景、师生价值观、共同理念的缔造上。在扭转校风的工作中，他也更多地使用"情感化"的方法。沈新华的工作呈现了一种领导角色的转向：领导者不是具有极强支配力、智慧拔群的"英雄"，而是"领导者的领导者"——努力把员工培养成为各自工作范围内的领导者，使他们能够自我管理，用价值信念引导自己的行为。

尽管北墟中学的故事只是部分地反映了学校道德领导的思想，沈校长的领导方式也只是从某些方面反映出道德领导的精神，但是借助这个故事，我们可以看到学校道德领导者如何通过引领组织成员的价值观和组织愿景，激励教职员工自愿地为学校作出卓越成就。价值观的充实，使学校"领导"职能能够被其他一些东西所替代，学校员工即使在没有领导者出现的情况下，也能按照内化了的行为模式，为学校的发展服务。

正如我们在"作者前言"中所阐明的，本书关于"道德领导"的论述，并不仅仅是对我国传统文化的继承，强调领导者个人的道德修养等，也避免刻板地认为以伦理性为特点的中国社会不需要强化"道德领导"。来源于封建社会的"泛道德主义"往往容易造成道德价值的虚妄，而"道德无用"论的流行又容易误导人们遭遇荒诞，远离高尚的精神追求。本书所要阐述的"道德领导"，既反对把道德价值演化为一种空洞的高调论，又反对迎合世俗，放弃现实批判。本书所述"道德领导"，注重对西方道德领导、转化式领导、文化领导、愿景领导等教育领导概念的借鉴。应该说它是国际教育管理视野内的一个新概念，更多地包含了现代价值观，以及科技与人文和谐发展的观点。

综上所说，学校道德领导主要是从它的价值论意义上加以应用的，这是国际教育管理视野中的一个新概念，它对今天的学校改革有特别重要的意义，是学校经久不衰的动力。道德领导强调内隐价值，它不同于一般领导之处在于：

- 领导观念上，重视价值理念的长期培植。不仅关注人物质利益的、心理需要的动机，而且关注人道德的、信念的动机。就是说，完整而丰富的领导权威基础应当包括"道德权威"，道德权威是教育领导者最核心的权威。

- 领导方式上，提倡以文化的力量实现领导。学校是一种文化组织，领导者并不总是要依赖职位权力，通过控制成员的方式进行领导。领导者应当创造学校文化，引领人们献身事业，使教职员工能够自我设置目标、自我管理。领导最终是为了不领导。

- 管理实践中，主张应当把学校建设成为一个道德共同体。学校不仅应组织教学、传递知识，更应超越这种工厂式的管理，形成"共同体"的机制与氛围。在共同体中，学生、教师和家长通过共享的价值观而自愿地结合在一起，他们有共同的信仰和承诺，每个成员的意识从以"我"为本转变成以"我们"为本。

一、学校环境的变化

过去的 30 年，是中国改革开放的 30 年，是中国社会深刻转型的特殊时期。学校作为社会结构的重要组成部分，也在接受着高密度的市场经济理念的熏染。很长时期内，效益、功能、技术、经济原则成了学校占支配地位的价值追求，校长、教育行政人员乃至教师都相信只有永不停歇地追求"管理的科学化"，才能造就一所理想的学校。

特别是进入了新世纪，教育改革又遇到了新的挑战，学校从未像今天这样面对那么严峻的公众监督。从收费问题到教育公平问题，从教师精神面貌到学生创新能力的培养，关于学校究竟应当承担什么社会责任的关切之声不绝于耳，由此引发了对"学校育人目的""办人民满意的教育"等主题的强烈关注。改革开放 30 年来中国教育改革的进程，成就与问题同在。尽管教育应当适应经济社会的发展，把市场经济机制部分地引进教育领域是特定历史阶段的需要。但是，我们更应看到的是，优质的教育需要可持续发展观的指导。新的历史时期，学校的环境已经在某种程度上发生了深刻的变化。学校形成的新环境是什么？我们感受到如下几点。

（一）政治向主流文明靠拢

对于中国社会来说，在影响社会发展的政治、经济和文化三种基本因素中，政治始终是最重要的。"政治是人类生存的一个不可避免的事实"（达尔，1987）。而在全球化大背景下的今天，无论是剑拔弩张的国际边界问题，还是利益攸关的贸易争端，人们都强调要调动人类文明所有的健康因素，用"斡旋"和"和谈"等方法解决问题。政治文明的衡量标准已经突破国界，有世界大同之趋势。

改革开放以来，中国经济体制改革的成就有目共睹，这种成就，在某种意义上，是政治变革的成功。1978年以前，"阶级斗争"和"革命路线"是出现频率很高的词汇。1978年以后，这些词汇渐渐被"改革开放""经济建设"等词所取代。直至今天的历史时期，政治生活的主流是"和谐发展""均衡发展"。关于中国近年的政治变迁，学者俞可平的看法是："自由、平等、人权等现代政治价值日益深入人心；民主意识、法治意识、权利意识逐渐增强；党和国家开始适度分离；公民社会开始出现；把建立法治国家作为政治发展的目标；扩大直接选举和地方自治的范围；政府和企业分开；政治环境变得相对宽松。"①

与时共进的政治纲领才是符合社会历史发展规律的。从某种意义上说，"以经济建设为中心"的治国纲领完成了它的历史使命，而现在应当是强调可持续发展的时候。尽管从历史的角度看，经济强盛了，就能推进政治、文化和社会其他方面的发展。但是以经济建设为中心并不等

---

① 陈潭. 俞可平：政治发展更要软着陆［J/OL］. ［2005 - 03 - 28］http：//www. chinav-alue. net/article/3775_ 3. html.

于经济是唯一的，改革开放这么多年，社会阶层和利益群体呈现了复杂多变的趋势，过度经济化、业绩化也附带生成了大量令人忧虑的社会现象，物质财富快速增长的同时，也积累了众多"发展中的"问题和矛盾，包括社会差别扩大、个体和公共的腐败现象、官员不良的政绩观、生态环境恶化、人群心态浮躁，等等。

为了应对复杂格局、理顺社会关系、克服发展过程中出现的偏差和问题，新一届中国领导人提出了"科学发展观"，继而又提出了"和谐社会建设"等目标，意味着当前国家的重大课题是社会经济、政治、文化和生态等的协调发展。和谐社会建设包含了走向世界的价值目标：一个理想的社会、多元的社会、合作和宽容的社会、民主和善治的社会、秩序和法律的社会、公平的社会、诚信的社会、可持续发展的社会。中央领导人多次在讲话中指出，要着力去达成"全面、协调、可持续的发展"。当前中国对政府公共服务责任的强调、对人民开放信息的力度、对弱势群体福祉的关注、惩治腐败的坚决意志等，都显示了它越来越顺应人类政治文明的主流。

中国社会进入了一个重要的"和谐发展"的阶段。这个阶段，以全面建设和谐社会、学习型社会、创新型国家为主要命题。政治观的引领，使学校的领导者们理解，当今领导的意义已超出了过去"经济化""数字化"的范围，它对人的价值、情感、尊严的重视，已具有主流政治文明的含义。

（二）人们内心渴望更有意义的生活

我们现在的发展速度超过了过去几百年的发展步伐，以公路建设为例，中国十年内完成了发达国家四十年的高速公路建设里程。然后是大幅度的招商引资、大工程、大项目。这些项目增长了我们的 GDP，提高了我们的生活水平。然而它也创造了一种匆忙的、商业性、表演化的文化。但不是所有的事情，都能在匆忙之中完成，人们开始了对高质量的人际关系的向往，越来越多的人讨论企业伦理，分析时代信仰等问题。频频见诸报端的"食品安全"事件暴露了企业的道德危机。当急功近利的短期行为盛行、矿难频发、良田被毁、遍地的开发区和不断增长的工业产值需要人民付出健康和生命安全的代价的时候，我们是否应当重新考虑我们的终极价值和目标？

人不是制造利润的工具，没有"关心""友助"等人文关怀的生命不是有光泽的生命。从某种程度上说，我们所处的社会环境和自然环境一样，多年以来一直在受到各种污染，那些受利益驱动的人对他人的苦难无动于衷。但是我们却体会到，一个缺乏温暖缺乏诚信的环境是多么不适合生活。前不久，网络上的一个热贴引起了人们的关注：为什么中国人只有贫穷才会善良？① 尽管我们并不同意这一判断，但是，什么时候起，善良——这种很高的人文素质，却在大众文化中成为贫弱者的代名词？而作为社会精英的强者，其善良、诚信的品质是否也随着他们知识、能力的增长而同步增长？

这是令人深思的问题。对许多人来说，工作场所是高度紧张、人与人提防、缺乏心灵依附的地方。针对所有的这一切，我们需要公开地讨论传统价值和信仰，寻找机会建设共同体，加深不同人群之间的相互理解和信任。

越来越多的师生渴望有意义的生活，他们不愿意自己的空间被没完没了的作业、高度紧张的竞争所占满。有关学生、教师心理负担的话题总是获得人们的深深同情，电视节目、报纸杂志也在关注这些问题，人们期望今天的领先学校不仅能够有领先的升学率，而且要成为"有道德智慧"的表率。另一方面，贫困学生洪战辉"仁爱、责任和自强"的精神成为这个时代的楷模，他不再是政治盛行的年代中被标志化地树立起来的道德英雄，他表现出的是一种现代社会让人瞩目的市场营销和管理能力。这些都在悄无声息地告诉我们：20 世纪 70 年代、80 年代、90 年代的生活方式永远过去了，这个世界的领衔者一定是有非常清醒

---

① 佚名. 为什么中国人只有贫穷才会善良［N/OL］.［2005 – 11 – 03］. http：//www.crionline. cn.

的道德自我、有强烈的社会责任感、能自我管理、注重团结的人。

（三）学校开始重视组织文化的建设

在过去的几年里，从学校来说，组织文化建设是一个令人关注的话题。置身于两所不同的学校，其文化的差异性使我们很快能把它们区分出来。我们在师生的行为举止、人际关系、课堂内外的气氛、规章制度的表达中领会着学校文化。我们能够感到，学校文化，通过激发人主动创造的精神而成为学校发展的内动力。曾几何时，当学校管理改革与发展只能在一种较低层次上徘徊的时候，文化的力量引起了学校管理者的普遍重视。学校创造的一切成果，只有积淀成组织文化，才具有稳定性，才会在一代代师生的传承中得到捍卫，成为学校可持续发展的资源。而在学术界，关于学校文化建设的知识领域也正在形成。

[**案例 1－2**]　　　**平度一中的"集体创优"**①

谈到平度一中的高考佳绩，于元宝校长直言不讳地说，这首先与学校的"集体创优"制度有很大关系。

教育教学的高质量来自教师的高素质，但平度一中的教师却有其特别之处。在青岛市，若论单打独斗，论优秀教师、特级教师的数量，平度一中都远远比不上其他学校。还有一个奇怪的现象：同一个教师，在平度一中作用是巨大的，但当被挖到其他学校时，作用就不突出了。许多人感到莫名其妙，原因何在？其实，这其中并没有什么神不可测的玄机，都与"集体创优"有关。

平度一中的"集体创优"，简单来说，就是根据学科教学或工作性质，把学校成员划分为各类小型的组织；学校考核的目标已经是整个小组，而不再是某个人。

接受采访的一位教研组长说："新教师到了教研组，如果他本身好

---

① 改编自毕唐书. 剪不断，理还乱，是高考 [J]. 山东教育，2006 (1－2)：11－13.

学上进，但一两年还不能成才的话，这对我们老教师而言，就是一种压力。因为各组都有帮带的传统，但是你的组里新教师没有成长起来，什么原因？是不是你保守？是不是你不肯帮带？"

就这样，在"集体创优"的大氛围下，老教师、骨干教师都有了帮带的责任感，有了组内教师共同提高的使命感，青年教师也有了迅速成长、迅速成才的紧迫感。与之相对应，教师单打独斗的不见了，孤军作战的不见了，各教研室都开展了"师徒结对""以老带新""手拉手"等活动，在工作上相互协作，在生活上相互关心、在思想上相互理解，在情感上相互支持。

"集体创优"这种制度设计具有强劲的文化凝聚力，它使学校在激烈的竞争中处于主动。而正如山东省平度一中一样，文化管理、文化建设已成为我国千千万万所学校在寻求发展之路上的重要支撑。尽管每所学校在打造文化品牌上所建构的重点不一——北京四中作为一所吸收了大量尖子生的示范学校，他们倡导"学生自主发展和和谐发展"；而位于广东省乡镇的菊城小学，基于小学生特点，他们的物质文化建设，细化到场地文化、生活区文化、教室文化甚至洗手间文化等，建立丰富的目标体系。[①] 但是，学校的领导者们已经强烈地意识到，重视文化建设，是一种深层次的学校管理。学校文化建设在提升教育质量、提高办学声誉和形成学校特色中发挥着重要作用。

（四）学校环境对教育领导的新要求

社会文化标准的长期积累，使我们认定，学校好坏都是以学习成绩、以有多少学生考上大学为标准的。尽管从历史的观点看，技术主义的管理作为对经验管理的一种超越，给我们的学校带来了巨大变化，使学校在"文化大革命"的满目疮痍之后迅速恢复了生机，也使学校知

---

① 资料来源于张蓉. 广东省中心市菊城小学创广东省一级学校自评报告［R］. 2005.

识生产的功能迅速扩大。但是，技术意义上的进步是否以牺牲其他更重要的东西为代价？当我们眼里不断充斥那些被"异化"了的现象时，我们是否也有一点点人文意义上的反思？一位教师对现在学校里普遍展开的"数字化"评估活动感到困惑：

2006 年上半年在全国推行的高校评估及达标工程，其造假到了令人惊骇的地步。你们上面的督察员派到每一所学校之前，学校从领导到一般职工，乃至学生都在帮着造假，加班加点，几至不舍昼夜。

我们学校是明年评估，现在造假任务已经下放到各院各系，马上就要开始全校总动员，开始大规模造假运动了[①]。

"为评估狂"带来的全民动员、垒高数据恐怕并不是子虚乌有，这往往使我们难以正确评价一所学校的真实发展状况。如果缺乏了诚信的基础，任何事业的经营成本就会大大提高。更为令人不安的是，这种完全工具化了的行为不可避免地影响了未成年人的道德教育，而十几岁正是孩子道德发展的关键期。远离教育本质的"技术"活动受到了人们的指斥：

据说本校在搞评估，我的态度是不合作。评估大都是在作假，其实最害人的是让那些小学生也参与作假，校方居然连一点惭愧之意都没有，成天教孩子要诚实，到这个时候为了保住自己的官位就摧残少年儿童[②]。

我们还不断听说那些在学业竞争下被压抑的心声。一家报纸登载过《老师，让我多睡一会儿》的文章，只要稍作留意，我们就会发现，每天早上路上最早出现的群体是中学生，他们背着沉重的书包往学校赶，

---

①② 来源于笔者对教师的访谈。

下午天黑才放学回家。他们几乎成了学习的机器、分数的奴隶。而一位小学教师对当前学校生活的观察是这样的：

走进如今的校园，你会发现这样一种怪现象：这校园静悄悄的，到处都是埋头苦学的莘莘学子，如一座座雕像般静默；在这里，已很难见到学生嬉戏、玩乐的身影，再难听到打乒乓、踢足球、打羽毛球时那尽情欢乐的叫喊声……今天的校园静悄悄！静得仿佛走进了一所冷冷清清的庙宇，如同走进了一座庄严肃穆的教堂①。

我们不能忘记宁夏银川 13 岁的小学女生秀秀带给我们的沉痛记忆。据《南方日报》2005 年 7 月报道，当同学们兴高采烈地参加毕业典礼时，宁夏回族自治区银川市 13 岁的小学毕业生秀秀却永远地离开了人间……在她留给父母的短短 100 多字的遗书里，出现了"我是个差生""我死了可以帮您节约 10 万元"等字眼。秀秀生前一直为自己的成绩不好而愧疚，担心考不上好初中，就要交几万元的择校费②。

教育领导者们不得不高度重视学校里的"分数崇拜"。人们呼吁关注"分数的贫困"，这种贫困可能使我们的孩子经受着与经济贫困同样的折磨。从道德水平发展的规律来讲，13 岁的秀秀应当是一个"好孩子"，她有家庭责任感，对自己要求很严。但是什么时候起，我们的学校已经成为"训练考试状元的基地"，学校隐含的文化已经把成绩、分数作为唯一的衡量标准？秀秀无论怎么努力，她的学习成绩都不够理想……学校里的竞争忽视了对这些孩子的关心。孩子们心理压力过重、行为偏差，难道不是部分地由于我们缺乏价值关怀，学生信仰缺失、信心缺乏、人生目的褊狭而造成的？

学校的领导者，如何才能创造一种文化，使人们能够平衡世俗目标

---

① 孙惠芳. 今天的校园静悄悄. 教育参考［J］. 2002（2）：57.
② 转引自择校压力大 小学女生自杀为父母省钱［N/OL］.［2005－07－25］http：//news. tom. com/4005/4148/4150/20050725－2335708. html.

和精神价值？在一个培育人的学校世界，领导者应该是那种把价值目的放在第一位的人。

二、优质学校领导力的提升

宏观的社会背景、人心动向、组织文化变革的趋向，使我们认识到，学校应当主动呼应时代的变化。而当前众多学校追求卓越表现、建设优质学校的努力则集中反映了这种呼应。当我们还是"穷国办大教育"的时候，向所有人提供受教育机会是学校教育最基本的义务，而在教育发展已有相当水平的今天，学校应当更加关心向人们提供保证质量的教育。

本书讨论的"优质学校"，包含了全球范围内为切实提高教育质量而推行的优良学校、卓越学校、有效学校、成功学校、学习型学校等概念。不论是西方 20 世纪 80 年代以来轰轰烈烈展开过的"学校重建"运动，还是我国 90 年代以来逐渐深化的"素质教育"运动，学校范围内的这些改革，都无一例外地把目标指向为社会提供更多的优质教育资源，使教育更适合学生个性的发展。打造优质学校的潮流寓意了这个时代人们对教育的期望。人们不仅希望学校在发挥升学功能上是"行"的，能够产生合格的学生，而且希望学校是"好"的，能够培养有素质、可发展的社会公民。"够格"和"优良"是不同的境界，在优质学校，学校成员在完成组织任务时能够自觉挖掘最大潜能。

简单地说，优质学校是为学生提供有品质的教育的学校。它本质上应当更有文化内涵，有先进的教育理念、优良的教师队伍、高水平的教育管理。优质学校并不一定是有最好学业成绩的学校，但它们一定是更能满足社会发展、学生发展需要的学校，这其中包括了许多原来生源并不好，但经过努力而获得良好声誉的学校。优质学校，"既指学校校舍、教育设施的高水平，又指教育思想、课程教材、教师队伍、教育管理的高水平"（陶西平，2005）。"是那些能够不断获得和合理运用自身能力，改善学校文化、提升学校管理和教师能量，最终促进学生全面持续发展的学校"（邬志辉，2004）。

　　学校发展模式需要从"粗放型"走向"品质化"，而优质学校的领导力也应当有所提升。如果说普通学校的领导方式更多地是以"事务主义""管理控制"的方式进行，那么，优质学校的领导方式则需要更多的"信念激发"和"文化引领"。

（一）先进的办学思想、正确的教育理念

　　苏霍姆林斯基说："学校的领导，首先是教育思想的领导，而后才是行政领导。"对于学校领导者，教育思想的影响力永远都超过行政职务的影响力。教育思想和办学理念是否符合先进文化的前进方向，是否有利于学生持续一生的发展，这是当前许多正承担着优质学校建设任务的领导者首先应当思考的问题。在我国政治文化中，"和谐社会"理念的提出，代表了远古以来人类社会的理想，昌明的政治应当努力缩小社会差别。在"和谐社会"理念的推动下，一种"让教育更加和谐"的思想深入人心。和谐的学校教育应当重视提高全体学生的全面素质，不应当只重视一部分学生的发展而忽视另一部分学生的发展，不应当只重视提高学生考试成绩而忽视提高学生素质水平，也不应当只重视学生共性的教育而忽视学生个性的教育。

［案例1-3］　　人性化的人才观，让学生认识自己的价值①

　　北京市昌平职业学校自段福生校长提出了"变管理学校为经营学校"的办学理念后，在原有基础上不断创新发展。现在它已与16个省市的职业学校联合办学，为当地及北京市输送了大批初、中级实用技术人才。在为"三农"服务、为西部大开发服务、为来京务工人员子女服务，以及在军地两用人才培训等方面都取得了骄人的成就。

---

① 改编自于东平，汤灏. 帮助学生主动经营自己的人生［J］. 北京教育：普教版，2005（3）.

培养初、中级实用技术人才的人才价值观是段校长"经营学校"理念的基础之一。在市场经济中，需要大批具有初、中级实用技术的普通劳动者，这些普通劳动者也是人才。段校长一直坚持学校的人才培养定位是中等职业教育。

一个不可否认的事实是，近年来中等职业教育的生源质量较差，许多人都片面地埋怨学生学习成绩差、道德品质差。然而，我们从另外一个角度考虑，这些学生在小学和中学期间，由于种种原因学习成绩不理想，他们受到"应试教育"片面追求升学率的排斥与歧视，心灵受到极大的伤害。不少普通中小学没有顾及这些所谓"落后生"的全面教育。这批学生进入职业学校后，如何客观地认识他们，人性化地对待他们，是对"应试教育"笼罩下的片面化人才观的挑战。

社会需要大批高级管理人员，也需要数以亿计的具有一定技能的普通劳动者。段福生校长说："我们需要'高感情'地为这些似乎看不到前程的学生服务，使他们认识到在职业学校里学习也能成才，同样能为社会作出贡献。"

在人性化的人才教育观的指导下，昌平职业学校从学生入学开始，以"全员德育"为突破口，采用"阶梯式网络德育模式"，帮助学生认识自己的人生价值、从业前景，从而乐观地对待自己的前途，进而帮助学生依据所学专业设计自己的人生，使他们学会经营自己的人生，掌握自己的命运。人性化的人才观，发挥了学生的主观能动性，调动了他们努力学习一技之长的积极性，帮助他们认识了自己的人生价值，增强了他们做对社会有贡献之人的自信心。

先进的办学思想、正确的教育理念是一所学校的灵魂，它包括对教育意义和功能的理解，对人才、质量标准的看法，对师生关系、教学关系的认识，等等。就每所学校来说，因其具有不同的资源特点和文化传统，其办学理念也应当符合自身长期稳定、可持续发展的目标，反映校长及其师生对教育的理解、对自己学校现状的理性分析。上例所述，对于仍然处于"边缘"地位的中等职业教育，昌平职业学校的师生有清晰的办学理念，这种理念既融汇了先进的教育思想，又符合中国实际的特点。他们有坚定的办学信念，即相信只要努力，他们的孩子也可以有成功的人生。正因如此，他们创造了属于自己的辉煌。

校领导的高明之处就在于能够把这种新的、好的、代表文化发展方向的先进理念转化成为具体的、大家都认同的观念，形成学校具体的可操作的目标①。

有理念才有信仰，有信仰才有追求，有追求才有成功。卓越学校的领导者，应当是有深厚的教育理论思想的人，是能洞悉教育问题、引导教育前进的人。

（二）重视文化的力量

"优质学校"与"文化建设"是本质地、内在地统一的，即优质学校促进了学校品格文化的生成，而从文化的角度去考虑问题，是打造优质学校的重要途径。

应当指出，所有学校都有文化，只不过文化有强弱、高低、雅俗之分。在学校，有些文化起正向作用，有些文化却使学校机能不良。美国教育管理学家萨乔万尼（Tomas. J. Sergiovanni）认为，优质学校的文化是一种"家庭培育"式（domesticated）的文化，它从容舒缓，但却是一种强盛的起正向作用的文化，要由学校领导和成员共同建设。相反，如果学校不了解应当做什么，缺少完成任务的兴致，那么就会导致学校性格抑郁。另外一种情况是文化强盛但机能不良，如学生联合起来形成一种以行为不端、表现恶劣为荣的文化，这种文化太强盛将导致学校的分裂与压抑。再如教师一味地把个人利益放在首位所形成的文化，也会引发诸多问题②。

---

① 袁振国. 校长的文化使命［J］. 中小学管理，2002（12）.
② Sergiovanni T J. Leadership and Excellence in Schooling［J］. Educational Leadership，1984，41（5）：9.

文化有正误之分，并具有稳定性、连续性，因此，力图把一所平庸的学校提高到优秀的水平就相当困难。文化学者沙因（Edgar H. Schein）写道："文化是深层次的、广博的、稳定的，不可能很轻易地就能把握住。如果你不去控制文化，文化就会控制你，而你甚至可能意识不到它的影响范围有多大。"① 在现实中，如果一所学校的文化是颓废的，例如上面所说的教师把个人利益放在首位时，有可能出现这样的情况：教师默认 8 小时以外的时间完全应该是个人的，一到下班时间没有人愿意为学生问题而留在学校继续工作，那些刚来的大学生甚至会因为在学校加班加点而遭到嘲笑，久之，新教师也被同化了。作为学校领导者，必须认识到学校在文化上的缺陷，要把文化引导到有建设性的而不是有害的行为方式上来。

[案例 1 - 4]　　　　　　**合并的东江城市学院**

为了提高本地高校的综合竞争力，东江市整合了原来下属的五所高专院校，异地重建"东江城市学院"。这所大型合并学校的目标是要在几年之内升格为本科院校，以使东江市的高等教育有更广阔的发展。新筹建的东江城市学院在离城区很远的西郊拔地而起，学生陆续搬迁到新校区上学。表面上看，学校很快进入正常运行，东江市地处省内发达地区，学校的招生形势红火。但是，学校领导人却被一些问题深深困扰着：教育厅组织的评估反映，各项上报材料离"升本"目标太远，特别是学术力量太弱；大部分教师住在城区，住校生中问题很多，许多问题是由于学校缺乏好的学习氛围造成的，很多学生没有明确的人生目标，大量时间用来上网、谈恋爱等。教职员工甚至领导人之间心存戒备，成帮分派，都认为自己对学校贡献最大，以致管理中重复、空缺等现象并存。一位来校交流的专家毫不客气地指出："你们学校没文化。"

建校之初统治着学校的是产业哲学。学校的领导班子是由以前各校

---

① 埃德加·H. 沙因. 企业文化生存指南 [M]. 郝继涛，译. 北京：机械工业出版社，2004：147.

的领导人组成的，领导者的文化背景告诉他们，经营一所学校最好的方法是依靠一套固定的工作量考核机制，并且认为高专院校培养学生不要太管教学质量，只要满足基本要求，把尽量多的学生送出校门，学校就是有业绩的。原来以成人短训为主的学校带进了市场文化的价值观，例如招生工作被作为重中之重。

王仕强作为新任的学校第一领导人，努力营造学院对学术文化的尊重，因为这与学校进一步发展的目标休戚相关。但是，他的许多要使学校变得出色的努力，遇到了深植于文化之中的抵抗。例如，考核体系开始包含有关学术成果的硬性指标，但由于教学工作量重，教师用于科研的精力实际上很少，而且对于很多习惯于教学的教师来说，写学术论文非他们所长，许多人想方设法地要转到行政岗位上去。而对这样的现实，王仕强清醒地认识到，东江城市学院要想成为一所有学术氛围、有文化凝聚力的学校，还需要一个长期的"文化变迁"进程，他要依靠教职员工的参与，努力创造一系列与学校的成功相关联的文化要素，要整合、混合或者至少是调和各种亚文化，逐步形成教职员工共享的价值观，用价值观和信念去点燃教师的工作热情。于是，学校制订了对青年教师的培训计划，培养学术性人才；筹集专项经费，大力推动研究项目的运行；举办各种类型的活动，以改善学校冷清的气氛，让学生感到学校是他们的"家园"，也使不同背景的教师都有适合的体现价值的路径。

在"敬业、爱生"价值观的倡导下，东江城市学院开始了"文化变迁"的进程，这个过程可能需要三年、五年、十年……

（三）注重人文性的管理方法

从事教育工作的人现在正处在一个高度组织化了的教育环境中，尽管 20 世纪 80 年代以来，基础教育的管理权责已基本完成了从中央向地方的转移，但整体而言，学校科层化管理的模式没有多少改变，校长偏重使用行政工作方法的状态也没有根本性改变。很多材料反映，对教师的管理仍然带有很强的管制性色彩，教师被视为学校完成短期目标的工具。在一项关于校长领导方式的问卷调查中，我们设计了特定的问题，追问校长是否认为"学校领导人应当有能力控制学校中的师生员工"。在江苏、黑龙江、广东地区取得的100多份校长答卷反映，超过95%的校长同意或特别同意这一说法。现实中，管理加控制是校长习以为常、普遍施行的行为模式。另外也有研究表明，深陷繁杂事务是当前我国中小学校长的工作特点。对教师的管理存在着过度行政化、民主机制建设不够、注重形式上的数据管理等特点①。

领导停留在这样一种水平，对于一所平庸的学校也许能勉强应付，但是对于一所优质学校却是远远不够的。优质学校需要高素质的校长，也需要优秀的教师队伍，但是长期工作在刚性、划一、机械化的管理模式下，教师的创造性、专业自主权等受到限制，教师的教育使命感、工作热情在一点点消退。我们必须认识到的是，教师作为文化工作者，他们身上有很明显的知识分子特点，用需要层次理论解释，在安身立命之外，他们有很强的自主性和创造力需求。管理学原理指出，管理方法应当顺应管理对象进行调整，教师作为一个特殊的组织群体，领导者应当施之以相应的管理策略。

优质学校的领导者应当追求一种更高级的领导境界，更广泛地应用柔性的、人文的管理方法；从关注人的自由、情感、价值出发，更多地用理解、信任、尊重等方式与教师交往。校长职业区别于社会其他职业的主要特点是校长领导着一个文化型的组织。在一个文化型组织里，校长既是管理者，也是服务者；既是指挥者，也是协调者；既是领导者，也是执行者；校长既是一校之长，也是教师的朋友。

人文倾向的教育管理思想已经受到学术界的重视，例如，一种"把教育专业自主权回归教师"的思想指出：学校真正需要的是一种"掌舵式管理"，即教师作为一种有意识、有思考能力的"存在"，上级

---

① 研究内容参阅了笔者博士学位论文：萨乔万尼道德领导思想研究［D］. 华东师范大学，2006.

部门并不应当对他们进行频繁的检查、验收，教师需要领导"掌舵"。在大力推行素质教育的时代，教师需要有一定教学创新的自由。另有研究分析学校成员的价值观、信仰及其他文化因素在教育管理中的作用；分析校园文化的管理功能；分析学校中的民主管理；分析校长"授权"教师，发展学校的集体智慧等。这些观点表达了学校管理既需要制度管理，又要结合人文关怀。

[案例1-5]　　　　永乐店中学的柔性沟通[①]

柔性的思想沟通，能形成管理的高效能，体现"以人为本"的办学思想。学校领导干部从尊重人、关心人的角度出发，深入群众、深入实际，了解教师的思想状况，善于用换位思考的方法，主动接触、平等交流。学校明确规定每个干部每周都要和2~3名教师深入交流，并在每周的行政会上向领导班子汇报。

工作中，领导班子坚持了"四个必到"：教师家中有喜事必到，表示祝贺；有丧、病事必到，表示关心；有困难必到，表示解决；春节前必到，表示新年恭贺。

柔性的沟通产生了良好的效果，为师生创造了一个和谐愉快的工作环境和学习环境。教师们都说："在这里工作虽然累点儿，但觉得心情舒畅。"

三、道德领导价值的确定

在讨论优质学校需要什么样的领导时，我们把关注的焦点投向超越体制、超越物理意义之外的精神动力。美国著名社会学家阿米泰·艾兹奥尼（Amitai Etzioni）指出，崇尚经济效益的观点被过分普遍化，人类在动机和决策上过度强调了理性选择和个体决策，我们应当关注领导中的文化和道德权威。他强调，人们的感情、偏好、价值观、信仰，以及

---

① 王子亮. 提升内趋力　促学校发展［J］. 北京教育：普教版，2005（7-8）.

人与人之间认定的社会契约将同样发挥作用①。

十年前就提出过"优质学校教育"计划并取得相当成就的香港教育统筹委员会，在其报告中指出："要达至优质学校教育，我们需要高素质的校长和教师。他们需要对教育有强烈的使命感，具备良好的品德，以及所需的学术和专业资格，共同推动和参与优质学校教育。"②我们今天所指的道德领导，即包含校长和教师对教育的责任心、使命感，他们对理想的教学的追求，教师被合理"授权"，在学校共同体中参与领导等观点。领导并不是少数几个拥有超凡领导能力的个人的专利，平凡的人也能在领导中把自己和别人最好的一面呈现出来。如若教师都是对自我行为负责任的人，都能实现自我领导，那么学校领导人就是"领导者的领导"，他们通过勾画组织愿景，引领组织成员的价值信念，激励师生员工自觉自愿地在学校做出卓越成就。我们坚持认为，道德领导是当今学校最需要也极有应用前景的领导模式。

特别要指出的是，学校道德领导并不是笔者的想象，作为一种在当今教育管理学术界和学校管理实践中已有广泛影响的管理思想，它自有深刻的理论根源。在国际教育管理界关于领导问题的最新研究中，我们已经发现，有关教育领导道德含义的探究正越来越引向深入。例如，加拿大著名的领导哲学论著述者霍金森（C. Hodgkinson）、现象学范式的代表人物格林菲尔德（T. B. Greenfield）和批判理论范式的代表人物福斯特（Foster）等都在这方面发表过重要见解。霍金森的一些著作也从20 世纪 80 年代末开始便被介绍到我国。而在众多关注道德领导思想的学者中，托马斯·J. 萨乔万尼的阐述最能代表道德领导理论研究的深度。萨乔万尼在 1992 年出版的《道德领导：抵及学校改善的核心》一书中，对学校道德领导作了全面系统的论证③。该书出版后，在西方和

---

① Etzioni A. A Comparative Analysis of Complex Organizations ［M］. New York：The Free Press of Glencoe，1975.

② 教育统筹委员会第七号报告书 ［R］. 1997（9）：3.

③ 萨乔万尼的《道德领导》在 2002 年由冯大鸣先生翻译并介绍到中国。

亚洲的许多国家及地区引起了很大反响。作为美国当代反思科学主义倾向的主观主义教育管理学派的代表人物，萨乔万尼至今仍致力于学校道德领导思想的研究，他后来发表的《建设学校共同体》《领导的生活世界》等著作都从不同的侧面延续了他道德领导的思想观点。

作为本书的理论起点，我们首先有必要对道德领导思想产生的渊源进行一番寻根究底，解析该思想的含义。尽管在我国传统文化中"道德""伦理"是很重要的精神资源，但是作为扭转"技术理性主义"价值观的学校道德领导思想，其理论模式是西方人构建的。道德领导思想的产生、发展旨在告诉我们，今天这个时代，领导的意义已超出了纯粹经济学、管理学范围，而具有文化上的含义。把握学校的道德方向永远是学校领导者最值得重视的使命。

（一）教育领导理论的当代走向

半个多世纪以来，关于如何进行教育领导，促进学校发展，教育管理学界提出过多种理论模式。在特定的历史条件下，一些理论曾经对教育实践产生过重大影响，如科学管理理论导致了 20 世纪初美国学校的效率运动，六七十年代兴盛的权变理论又启示人们教育领导方法应当根据学校的情境因素而调整。然而，这些模式难免将复杂的教育管理现象过于简单化，理论用之于实践并没有产生富有成效的结果。20 世纪 70年代以后，教育管理理论开始坚定地根植于教育背景，而不仅满足于上述那些从工商管理界借鉴来的理论。从当代教育管理文献中可以看出，教育领导的理论研究越来越注重领导行为中那些文化的、价值的动力因素。

首先，当代西方领导学研究越来越重视领导哲学的研究。

领导学是来自西方的理论，由于西方学者分析主义的学术传统，他们对于领导活动的研究都在科学的框架下进行。例如行为科学家通过实证研究和逻辑推理得出一些普遍性的结论。因此，现代领导理论模式普遍带有技术理性的倾向。在实践探索与理论发展的过程中，西方学者越来越认识到，领导不仅是组织机构中一种规范化、科学化的活动，而且也是领导者施展影响力的一种艺术活动。一位优秀的领导者，往往也是一位对领导活动进行价值思考的哲学家。正是对领导活动本质的理解，才使领导者能够通过品格、修养和树立群体成员的共同理想等来使组织获得创造性的精神力量。对领导技术的过度推崇，无形中使人们忘记了领导价值这一基础性的问题。有鉴于此，当代许多领导学研究者更加密切地关注到领导哲学层面的研究，研究理论也越来越深入地探究了领导哲学存在的意义。领导哲学不仅为领导者本人提供价值支撑，而且还为一个群体、一个组织缔造了一种传统，当组织陷入危机之时，领导哲学所缔造的传统是最深厚的支撑力量和拯救力量。领导者如果没有领导哲学而只知履行组织的规则和命令，就好比是依附于体制的机械零件，他们不能为组织带来变革力量，不能把人们的动机和道德提高到更有生机的层次。

在这样一种思想推动下，领导学出现了一些新的概念如"转化式领导"（Transformational leadership）、"领导的替代"（Substitute for leadership）、"超越的领导"（Super leadership）等，它们都从不同的角度关注领导的精神影响力。"转化式领导"培养员工对集体任务的认同，鼓励员工为组织利益而超越个人利益，激发员工的潜在动机。"领导的替代"则强调利用团队精神、工作本身的满意度、明确的规章制度等，这些替代领导的资源可以超越控制式的领导，使领导者的角色成为多余。"超越的领导"支持员工成为自我领导者，领导者是能够释放下属能力的人。"转化式领导"的奠基者，美国哲学社会科学家詹姆斯·麦格雷戈·伯恩斯（James MacGregor Burns）认为："对民众动机与价值观进行跨文化的研究和分析，最终可以使我们摒弃狭隘的权威和权力概念，并可将广泛的领导者及追随者的相互关系看做是更加广泛的社会因果关系的一部分。最终，我们有可能弥补许多权威准则和新的领导理论之间的鸿沟"（1996）。

其次，发展的教育管理学正在进一步吸纳主观主义的研究观点。

20 世纪以来，管理科学促进工商管理快速发展的事实使人们相信，移植工商界的理论基础，继承工商管理模式，是教育管理发展的需要。教育管理学对工商管理理论的移植、复制，在 20 世纪 50 年代教育管理理论运动（theory movement）中达到了极致。在理论运动中，来自于社会科学领域的理论家对经验主义的教育管理的批判，对科学主义的教育管理的呼唤是颇有价值的。理论运动所主张的科学、理性、客观主义的研究方法使教育管理学成为一门独立科学，并在当时找到了研究与发展的方向，教育管理学的学术地位由此得到显著提升。不过，尽管教育管理学从管理学中获益良多，但并不意味着移植、复制管理理论会给教育管理带来一个永恒的春天，人们逐渐发现"复制"理论存在的问题。20 世纪 70 年代末，在存在主义、现象学、解释学、法兰克福批判理论等后现代哲学思潮的影响下，人们开始猛烈抨击这种从管理学复制而来、根植于实证主义的研究取向。理论家们指出，处于复杂环境中的学校领导者无法回避价值冲突，客观理性不是解决问题的唯一方法。而且，脱胎于理论运动的教育管理科学，尽管力求客观、量化和价值中立，但它依然携带着重要的哲学假设。

在这样一种理论背景下，西方教育管理学出现了超越实证主义的、以批判和反思科学教育管理为特点的理论景观。其中，加拿大人格林菲尔德所阐发的现象学观点更是极具创见。在教育管理史上，格林菲尔德被称为"理论运动"的爆破手，他批驳理论运动所信奉的科学观将社会科学与自然科学等同起来，事实上是对科学的盲目崇拜和迷信。"实证主义观点的严重失误，是它把所有人的内部状态、直觉、情感和价值都看做是一种管理的副现象；理论运动的认识论基础有不足之处，它以损失人文研究为代价。"①

在建立应对实践的理论上，格林菲尔德提出用人文艺术的方法领悟教育和领导问题，"文化科学家并不是去发现有关社会结构的终极真

---

① 转引自张新平. 教育组织范式论［M］. 南京：江苏教育出版社，2001：222 - 292.

理，文化科学的目的是去理解不同的人所看到的社会现实，并揭示他们对社会现实的不同看法是如何型塑其相应的行为的"（张新平，2001）[240]。社会学家布迪厄（P. Bourdieu）的"文化再生产理论"也被用于分析学校里的文化等级现象："社会中存在着许多不同的文化集团，每一集团都要在下一代中进行再生产。学校组织作为一种社会机构，它的根本目的是再生产主流社会文化所需要的惯习。其他文化由于不符合统治集团所规定的成功和成就标准，因而被排除了出去。学校组织总是试图为学生提供一种机会，以引诱学生形成适合于统治集团所需要的惯习"（张新平，2001）[331]。

记得有位名人说过：未经审视的生活是不值得过的生活。那么，未经审视的管理也不应实施。对教育管理研究的这些认识，使得传统的对实证主义方法的唯一强调转向了主观主义和客观主义并行。人们不仅仅关注管理原则、方法等客观问题本身，更重要的是，人们越来越重视在这些原则、方法背后所蕴涵的思想内涵。人们认识到，教育活动归根到底是人的活动，对人的管理的研究离不开人的主观立场和态度。

（二）道德领导思想的提出

霍金森教授指出："教育管理处在一般管理专业中一个特殊领域，教育领导者发现他们身处道德震荡的中心，时常参与政治但始终人性化，始终在乎社会评价"（1987）。伴随着教育管理研究的深入，扬弃单一科学主义价值取向、渗透文化意义、还原教育管理哲学意义的教育管理学凸现出来，这使人们进一步接近教育管理的本质。在这些关注文化意义的教育管理理论探讨中，"道德领导"思想萌芽了。教育管理理论家从不同的角度提出了通过"道德"进行"领导"的观点，例如，格林菲尔德指出，我们的内心都存在着"道德命令"，这种命令不同于"自然命令"，它是内隐的、人造的，并通过社会来维持。个体如果违背了道德命令，他不会受到自然的惩罚，但要遭受其他人的责难，同时也难逃良心的谴责。（张新平，2001）[234]批判理论家福斯特强调，教育领导要保持道德批判性。他指出，教育领导在学校组织和管理中应当确立一种批判观，对所有理所当然的假设进行质疑、反思，时时追问学校在多大程度上实现了自由、公正①。

随着"道德领导"理论研究的发展，道德领导的内涵逐渐明晰起来。霍金森的"价值概念分析模式"明确了道德领导的核心内涵，并将之与其他类型的领导内涵区别开来。这一"价值概念分析模式"认为，领导者的决策过程受三个层次的价值观支配：最低层次的一套价值观（价值Ⅲ型）是"次理性"的价值观，它包括领导者出于各种个人偏好所表现的情绪和感受，如喜欢这一雇员而不喜欢那一雇员，那是一种纯粹而简单的偏爱；中间层次的一套价值观（价值型Ⅱ）是"理性"的价值观，领导者决策所依赖的基础是众人的共识，采用法律和法令的形式；这一模式中最高层次的价值观是"超理性"的价值观（价值型Ⅰ），它们源于良心或直觉这一类现象学的实体，包含着信念、意志，通常是理性难以把握的，例如，战场上那种"为祖国牺牲是愉快和美好的"伦理②。其中，最高层次的"超理性"价值是支配道德领导行动的价值观，"超理性"成为道德领导的核心内涵。

随着"道德领导"理论研究的发展，对道德领导类型的认识也加强了，道德领导不再是单一的概念，它拥有一个概念群。对此，雷斯伍德（Kenneth Leithwood）和达克（Daniel L. Duck）的分析比较清晰地说明了这个概念群。根据对《教育行政季刊》（Educational Administration Quarterly）、《学校领导期刊》（Journal of School Leadership）、《教育行政期刊》（Journal of Educational Administration）和《教育管理与行政》（Educational Management and Administration）等国际教育管理学术界有广泛影响的期刊的检索。雷斯伍德和达克指出，道德领导不仅是指道德或伦理领导（moral leadership），而且包括了规范—工具领导（norma-

---

① Foster W P. Paradigms and Promises: New Approaches to Educational Administration [M]. Prometheus books, 1986: 18.

② 霍金森. 领导哲学 [M]. 昆明：云南人民出版社，1987：35 – 38.

tive-instrumental leadership）、政治领导（political leadership）、民主领导（democratic leadership）及象征领导（symbolic leadership）等。转化式领导、参与式领导都以超理性的价值观为导向，它们与"道德领导"有相近的内涵。尽管上述概念各有侧重，比如民主领导提倡民主意识，政治与象征领导强调广泛的参与，但它们的前提假设和本质要求是一样的。这一组领导概念的共同假设是，价值（values）是所有领导的核心，价值本身建构了领导的基本问题①。道德领导从本质上要求学校由理念领导，它们批判传统的、规则化的领导方法以及"理论运动"所遵从的领导哲学，认为"无限理性"使教育领导研究走入了穷途末路。具体来说，学校道德领导就是指学校要以"超理性"的价值观为导向，利用伦理、信念、象征性规范等形式，引导与影响组织、群体、个体，使之在一定条件下实现组织目标的人文主义的、价值理性的领导模式。

雷斯伍德和达克的分析使我们了解到道德领导已形成了丰富的概念群，表明关于道德领导的研究已走过了早期那种零星的萌芽的研究状态。但这并不表明对于道德领导的归纳已经穷尽，研究者们根据现实中的问题生发出新的道德领导研究生长点。例如，迈克尔·富兰（Michael Fullan）指出，学校领导必须具有两种信念，一是维持学校道德的生态系统（moral ecology），使人们能够超越各自不同的利益、等级和文化渊源而维系在这一生态系统中；二是教育应有深思熟虑的道德意图，为具有民主意识的公民培养不可或缺的理解力、品性和行为（2005）。又如，在多元文化背景下，夏皮诺（Joan Doliner Shapiro）提供了一种分析职业伦理的概念模式，建议在教育领导的伦理培训课程中，设置一些道德两难问题讨论课，关注如何实现正义的伦理、关怀的伦理、批判的伦理和职业的伦理②。这些新的生长点说明，人们对道德

---

① Leithwood K, Duck D L. A Century's quest to understand school leadership [G] // Murphy, Louis. Handbook of research on educational administration. San Francisco：Jossey-Bass Publishers, 1999：52.

② Shapiro. Ethical Leadership and Decision Making in Education：Applying Theoretical Perspectives to Complex Dilemmas [M]. Lawrence Erlbaum Associates, Inc. , 2001：xi.

领导的研究已经分化成为一个更为丰富的状态。道德领导成为容纳更多内容的范畴，为教育领导的实践活动提供更多的支持。

雷斯伍德和达克的分析表明，领导研究中，道德领导研究占了很大的比例。由于雷斯伍德和达克依据的期刊样本能够较全面地反映教育管理理论界的研究状况，能较准确地反映西方教育管理学界的研究走向。因此，这一统计也就意味着道德领导已备受关注，意味着研究、借鉴道德领导研究成果不仅条件成熟，而且很有必要。

特别需要指出的是，在当前道德领导的研究中，萨乔万尼的理论成果最为引人注目，他的阐述也最为系统，最能代表道德领导思想的深度。

（三）萨乔万尼的道德领导

托马斯·J. 萨乔万尼是 20 世纪末美国教育管理学界最有影响的理论家之一，也是当代西方非主流的主观主义教育管理学派的代表人物。20 世纪 80 年代以来，萨乔万尼一直在批判理论范式下进行定性的、人文倾向的教育管理研究。他提倡研究过程中的自我反思性，为现代学校管理进行病理诊断，其行文的字里行间弥漫着浓郁的批判气息。例如，他在很多论著中都指出，当今的教育领导是失败的，领导学文献是空泛的。为什么要说理论特别失败呢？这是因为现在普遍施行的教育领导理论已经完全不能推动学校的发展，它们已使学校处于停滞不前的状态。他指出，这个社会人们过于重视做领导的技巧，而不重视领导实际上需要领导者用心灵去参与；人们过于重视用各种各样的量表进行领导行为的研究，而不重视领导更是渗透于行为中的一种态度；人们太简单地用理性主义的方式理解领导，太想当然地用逻辑思维的心态看待这个世界，而世界并非都是那么线性的、可预测的，很多时候学校处在动荡的情境中，领导决策往往要考虑情感的、直觉的因素。也即他的核心观点是：领导不仅是一种**技术**，更是一种**艺术**。萨乔万尼的这些批判揭示了人的本质是理性和感性的统一，世界既有事实的、经验的一面，同时也有价值的、主观的一面。

萨乔万尼的理论在教育管理领域具有相当广泛的影响。迄今为止，他已发表了近 30 部著作，上百篇论文。在这些作品中，被关注的理论概念有道德领导、领导权威的来源（the sources of authority）、共同体理论（community）、五种领导力（five forces）、领导的生活世界（the life-world of leadership）以及领导的替代（substitute of leadership）等，其中最重要的就是"道德领导"概念。可以肯定地说，萨乔万尼是学校道德领导思想上最有影响的著述者之一。

在《道德领导：抵及学校改善的核心》一书中，萨乔万尼完整地表达了学校道德领导思想。在这部著作中，他对传统的领导观进行了全面反思，对长期以来被认为是天经地义的领导理念和领导架构进行了批判，并论证了将道德领导置于学校领导核心的必要性。他指出，学校改善作为学校领导的目标，使领导精力集中在理财、控制、教学改革等方面，然而，效果却不那么理想。由此，必须将道德领导置于领导的核心位置，来自于"道德的"领导权威能产生更大的力量，使学校达到不治而治的境界。概括起来，其理论有以下几层含义。

➤人的情感、价值观、人与人之间的相互联系是重要的激励资源。

➤领导者不能仅仅依赖于科层体制所赋予的行政性权威，以及由于学习了一点管理学、心理学知识，掌握人际关系技巧而获得的技术性权威，另外两种权威——道德权威和专业权威可能有更大的力量。

➤科层体制所赋予的权威是一种"世俗权威"，人们服从它，通常与功利性的目的相关联；而道德权威是"神圣权威"，它通常与人的情感、理想，共同体成员共同依附的价值规范相关联。

➤领导者要善于寻找"替身"，组织成员对于共同体价值观的承诺、教师的专业追求、工作本身的愉悦等因素能够替代领导，使教师达到自主管理的状态，领导最终是为了不领导。

➤要建立一种"追随"的心态，校长和教师一起，都成为价值理念的信奉者，成为自我培育者。

➢进一步理解团队精神。团队精神不仅是指温暖的人际关系和学校安排的共同工作，更是指教师感到有必要、有责任协同工作和共享成果的意识。

➢道德领导的实践目标，是使校长和教师成为学生发展和学校价值目的的服务者。

值得注意的是，萨乔万尼所主张的道德领导，并非要完全抹杀原来以"理性主义"为基础的一套价值观，他用"附加""扩展"等词汇来阐述他所提出的理论的性质。他指出，"道德领导"旨在**扩展**领导的价值结构和权威基础，它的提出针对着正统的管理价值体系过于偏重理性、客观性和自我利益，这并不是简单地要用一套价值体系取代另一套，而是要为领导实践的权威基础提供一种平衡。但"解毒药可以变成毒药"，如果应用不当，反将会导致学校领导的错乱。

以上描述了教育领导的研究从主张科学的、客观的研究，到提倡哲学的、主观的研究，到进一步提出道德领导思想的过程。道德领导思想提出之后被大量评论和反复引证。理论界认为，提出道德领导，将引发一个新的学术增长点[①]。在西方，道德领导的内涵被相当程度地体现在教育管理实践中，它引发了众多教育改革人士在校长培训模式或学校管理改革上的思考。美国著名的《教育领导》杂志 2004 年 3 月号专题开辟了关于"学校作为学习共同体"的讨论。其中，多名教育局长、学校校长推介了他们构建学习共同体的亲身体验。例如，伊利诺斯州奈泊费尔的曼迪申中学（Madison Junior High School in Naperville），着力培植一种由家长共同参与的学习共同体。他们设计了丰富多样的共同体学习活动，并促进家长、学校、学生的及时交流，以保证活动成效。学校学习共同体的活动又受到更大范围的一个共同体网络的牵引，学校与学

---

① 萨乔万尼. 道德领导：抵及学校改善的核心 [M]. 冯大鸣，译. 上海：上海教育出版社，2002：Ⅳ.

校之间共同参与，促成一种类似家庭互助会的组织①。

　　学校不同于一般的工业组织，学校在本质上是一种学习共同体，适用于工业组织的强硬的领导模式或者单凭领导技能的领导模式，都不能完全适应学校管理环境的需要。道德领导并非仅仅是学术性的概念，它更有文化推广的必要性，在教育管理实践中，人们也越来越确认，对于教育领导者，哲学思想和价值观念才是最重要的。

四、道德领导与中国传统文化

　　以上我们重点梳理了西方学者发展的学校道德领导，其目的在于使我们对国际范围内的这一思想有一个合理的认识，并由此来分析道德领导对于我国教育管理实践的意义。人类对价值伦理的追求是相通的，西方的先哲康德写道"头上满天星空，心中道德法则"，我们的先贤也从来都是把对人的道德要求放在第一位的。正如我们一开始便强调的，在我国的传统文化中，"道德""伦理"是很重要的精神资源，例如，儒家文化的"孝""仁""恕""诚"，讲的就是人道的根本原则，我们的文化对道德问题的重视程度一点都不亚于西方。但是，略有遗憾的是，系统的"学校道德领导"思想，却是由一位西方学者阐发的，这不禁使我们产生一些反思。而进一步探究道德领导的理论状况，我们也能感到，西方学者所阐发的观点与我国的传统思想有许多差别。

　　在本书写作初期，我们首先想到的一个问题是"在我们国家提这个主题合适吗"？朋友们更是提示我，我们的本土文化缺少的是科学精神和法治意识，但并不缺乏德治思想。这种说法有一定道理，但笔者要阐明的是，文化改善并非只是加加减减的问题，我们不能因为有深厚的道德传统而在管理文化中摒弃一切关于"道德"的言说，更何况无论哪一种文化根系，其道德传统都需要现代意义上的改造。吸收世界上一

---

　　① Epstein J L, Salinas K C. Partnering with Families and Communities [J]. Education Leadership, 2004, 61 (8).

切文明成果，并加以融化、创新，使之成为我国文化的有机成分，才能使我们的事业持续健康地发展。实际上，西式的道德领导思想也有一个复杂的分解和组合过程，在以科技为主流话语的时代背景下，它既包含西方理性分析的学术传统、法治社会的思想基础，又融合了现代人文价值观、文化批判精神，甚至蕴涵着向东方世界汲取的营养。正是这种融合，才是更具现代意义的"道德领导"。

（一）文化的相通性及其差异

细察萨乔万尼等一些西方学者，他们最主要的贡献是使学校领导的道德目的成为20世纪90年代之后令人关注的主题，这之前的很多年内，在西方教育界，这些与伦理和价值相关的问题并不为人所重视。但是，透过道德领导思想内容及其学理建构的方式，我们也不难发现，他们的思想在很多层面上包含着平等、民主、职业伦理、共同体以及公共道德等现代价值观，这些学者的理论风格也与实证主义、逻辑实证主义有着千丝万缕的联系。例如，他们在陈述自己的观点时喜欢大量地借鉴实证研究的成果。由此，西式的道德领导，尽管其中最主要的思想源流是现代西方人文哲学，但值得注意的是，一些归属于科学主义思潮的哲学流派也在他们的思想中留下了印迹。好比许多热爱中国文化的外国人士，尽管他们也对中国有比较深入的了解，但是我们仍能体察到由于文化背景的不同，他们具有不同的文化思维，对于社会事件存在不同的价值判断。

任何一个民族或国家都会有自己富有生机的文化，没有文化，民族的生命也就会枯竭。对照我国传统文化中的领导思想，毫无疑问，它在本质上是以伦理为本位的。但是由于文化渊源的不同，中国式的"道德领导"与西方文化毕竟有着诸多区别。

其一，中国的道德领导偏重"伦理性"，而很少具有"真理性"。长期接受西方学术训练的学者，他们的思维特征是思辨理性，讲究逻辑的严密清晰。而中国人的认识论中，存在着"理性无法把握"这样一种思想传统，由此，对于道德领导的理解，我们更注重的是"行"的实践。道德领导思想，在中国文化中，不是理性思维，而是一种渗透着感性、与经验相连的悟性思维，这与西方学者的"价值理性逻辑化"大为不同。例如，孔子的"德行说"尽管能够规范人的行为和思想，但仍然只是一种现实规范，偏重伦理性，很少具有真理性。

其二，中国式的管理思想是"泛道德主义"的，重"道"轻"器"，扬价值理性，抑工具理性的文化特点渗透于整个民族心理中，不论是在政治、经济，还是在文化领域，道德伦理似乎渗透人类生活的全部。而西方学者认为，道德领导是教育机构区别于其他社会机构的特征，相对而言，他们仍然坚持管理技术的重要性。在教育领域，道德领导也只是作为一种"附加"价值被强调。由此我们必须注意到，西方学者的思想源流是现代人文主义思潮、后现代的哲学观等。因此，他们的思想中有一种"平衡观"存在，试图用一些"非理性"的方法论补充"理性"的不足，试图通过批判科层理论、心理学技术等消弭学校里的控制。

其三，中国传统文化中的道德领导强调领导个人的道德素质和他们以身作则的传统。孔子讲的"道德"是个体的"仁义道德"，他的思想中有"家天下"的影子，个人的"私德"可以扩展为整个社会管理中的"公德"。因此，在家为孝子的人，在朝廷也为忠臣。而在萨乔万尼等一些西方人的思想中，道德传统源自宗教，宗教道德中蕴涵着大量的传统"公德"。再一方面，他们受到理性思维传统的牵引，推崇"法理的美德"、道德的"绝对命令"等。从西方学者那里，可以看到西方法理文化的渊源，包含着更多关于公共责任、专业伦理的内容。

其四，在中国的封建社会，道德被沦为政治的工具，而这正是被西方人诟病之处。例如，一般的西方媒体对中国式道德价值所做的批评，大多是从政治文化的角度，说的是道德价值被政治权势利用，譬如强调灌输式的、先圣式的道德教育，实际上是一种思想的钳制，最终目的是为了维持政权。尽管"道德"是管理的伦理，但在几千年的封建文化中，对"绝对的道德"的强调却使它带有强烈的功利色彩，道德被用"左"了，本应是"精神动力"的东西反而走向了"精神桎梏"。相对应的，西方人的道德概念，更多的是建设在自我选择、自我判断的基础上，它包含的是一种共同体价值观。

（二）我们应有的态度

无论各种文化如何在自己传统的基础上继承与创新，我们都应该看到这样一种趋势：国际范围内，面对人类日益膨胀的功利性欲望以及社会越来越"物化"所制造的种种困难，我们需要调动价值资源进行关怀。在教育管理领域，进入 20 世纪 90 年代以来，哲学又成为一种有用的探究，这种重新出现的对人的生存意义的重视不是在原有意义上的重复，而是反映了当代学者对现实社会政治、经济、文化和科学技术现状的深刻反思。在一定意义上，这说明了一个道理，即深刻的反思才会产生有力量的建构，而在推崇"中庸之道"的中国文化中似乎很难做到。

以上主要是从文化交融的角度分析了西学色彩的道德领导在我国应用的可行性，对于西方思想，持盲目崇拜的态度当然是不可取的。实际上，在西方人的著述中，也存在着很多缺陷，例如萨乔万尼的作品有"宗教化"的理论倾向，强调教育领导作为"牧师式"领导发挥作用，强调学校良好的工作状态是由于"神"的赋权而来等，对宗教的顶礼膜拜显然是唯物主义者所不能欣赏的。再有就是它同样存在着道德思维与道德实践的差距，就"形而上"的问题的讨论，不可避免地陷入了一定程度的道德高调论。正如一些分析人士所指出的，当涉及复杂的政治观点的冲突时，用道德信念替代各种社会和管理控制的手段，这并不妥当。柯立克认为"道德信念似乎在面对一个想象中的世界"，"道德化有着更为不利的影响：它使管理朝着操纵其成员的方向发展"①。操纵成员，意味着领导者利用人的偏执于某种信念时的盲视，从而控制他

---

① Kymlicka B B. Edufantasy：Educational Administration Today［J］. Canadian journal of education，1996，21（3）：340.

们的思想和行为。

最后，就道德领导总体研究状况而言，关于领导者如何化解相互冲突的价值观，如何处理学校中重要的道德两难问题，这些方面的探讨比较薄弱。

我们应该注意到中国传统文化表达"道德领导"的不同，并自觉保持对传统的继承与批判。道德领导思想在中国的传播不可能孤立地实现，它必须要与本土文化交织在一起发挥作用，笔者认为，这一思想也只有在中国才具有更适合生长的土壤，它应当与我们的传统文化有机结合。因此，本书阐发的"道德领导"，不仅借鉴了萨乔万尼等一些国际学术舞台上活跃着的学者的思想，而且结合了中国的传统文化，希望能向我国读者说明这种思想对我国的实践是非常有用的。也就是说，本书试图论证世界范围内蓬勃兴盛的道德领导思想，及其我们的应用。在理论的诠释中，我们注意到了它与中国文化的兼容性。

（三）道德领导的三种行为

北京市昌平职业学校和苏南地区北墅中学身处不同的文化和环境之中，但它们的领导者都抓住了领导的关键，其最佳行为具有某些共性。好的领导活动是可以相通的，并得到人们的广泛理解，他们的实践活动也可以通过学习而有所领会。从沈新华、段校长以及其他向我们讲述成功经验的人那里，我们可以学到一些东西，作为领导者，要利用自身的力量和愿望，激励他人攀登事业的高峰。

通过对许多教育领导者个人事迹的研究，我们发现，引领团体内的成员过一种有目的有价值的生活的领导者，对团体长远发展作出过"价值观塑造"贡献而受人尊敬的教育领导者（这种领导者与单纯的具有人格魅力的领导者是有区别的，他们引领"善"的价值，而不是"希特勒"式虽有号召力但却"反人类"的类型），尽管每一个人的事迹都很特别，但其行为模式也存在着共性。而这种共性，恰好可以用学术界辩护的"道德领导"概念予以概括。在建设新型文化的时代，我们应该注意到，道德领导思想中蕴涵着永恒性和人类性的文化成分，人类在"择善而从"的意愿上是一致的。

学校道德领导者注重的三种领导行为是：

▲ 通过价值进行领导。

▲ 以文化的力量实现领导。

▲ 建立学校道德共同体。

对这三种行为的深入分析我们将在后面的章节中进行。每一位教育领导者，包括各类学校的校长、教育行政领导者，甚至教师，在每一种环境中，当我们有机会成为一名领导者的时候，例如，成为一名班主任、一名教研室主任等，都应该做到这三点。每一个人，首先应该是自己的领导者，然后再通过自我去领导他人。道德领导的这些行为是可以接受时间的考验，现在是，将来还是……

2

通过价值进行领导

做正确的事，而不是把事情做正确。

沃伦·本尼斯，领导学者

法国电影《放牛班的春天》讲述了一名音乐教师与一群桀骜不驯的少年的故事。其中的部分情节，能很好地说明价值观念与教育行为、领导行为的关系。

[案例 2－1]　　　　马修老师的音乐之声

在马修老师到"池塘之底"教养院前，教养院几乎所有的职工都执行"犯错就处罚"的教育模式。院长哈桑极力推崇"贼，不偷东西也是贼"的教育信条。"池塘之底"教养院因施行体罚而毫无温暖，孩子们的表现每况愈下，打架、恶作剧、说脏话，实际形成了"犯错——惩罚——加倍犯错"的恶性循环。蒙丹，一个被心理学家测定为智商低下的孩子，身上带着很多"坏孩子"的毛病，平时表现放荡不羁。但是，这次说他偷了 20 万法郎，却完全是被冤枉的。在院长雨点般的巴掌下，个性内向的蒙丹愤起攻击，他挥拳猛打院长，于是被警察带走……没偷钱的蒙丹心里种植的只能是仇恨，刚被马修老师唤起的一点点人性之光最终被歧视、诬陷所淹没，他身上凶残的一面被放大起来，在绝望的情绪下，他一把火烧掉了教养院。

马修老师，一位决心以"音乐之声"来唤醒孩子们身上潜伏的人性的教师。尽管在蒙丹那里也多次遇到不敬，但马修老师还是以极大的耐心帮助蒙丹纠正恶习，他煞有介事地用"男中音"为蒙丹定性，在日常教学的一点一滴中感化他、挽救他。这不是没有效果的，后来在马修的音乐课上，蒙丹至少是只睡觉不捣乱了。而对皮埃尔，这个敏感而又有天分的孩子，虽然他是"满肚子坏水"，冷漠无情、孤傲自负，但马修老师暗暗地运用"善意的惩罚"等教育智慧对他进行悉心培养，抓住突然让他领唱这种教育契机，激发皮埃尔用音乐成就自己的信心。皮埃尔最终成了世界著名的指挥家。

在马修老师的眼里，这些"问题少年"虽然犯了很多错误，但他们毕竟是孩子，很多时候他们并没有清醒的自我意识。于是他经常做的就是激发学生的自我意识，把打架、说谎、恶作剧转化为游戏、唱歌、公益劳动。他也运用"惩罚"手段，但"惩罚"在他那里不是打骂、关禁闭，而是唤醒这些少年的办法。例如，他暂时"孤立"皮埃尔，让弹伤校工的罗格克发自内心、全力以赴地照顾好受伤的校工大叔，直到他病愈为止，等等。这些情境中有许多情感激荡。面对这群令人伤透脑筋的孩子，院长对建立"合唱团"的责备批评，同事的冷嘲热讽，马修老师始终都用"凡事都有可能"的信念，实践着教育者的使命。

这个故事的结尾是悲剧性的，院长哈桑的办学思想有严重的问题，蒙丹一把火烧掉了教养院，领导者错误的价值观念带来的只能是这个结果。

作为影片讴歌的形象，马修老师是孩子们成长道路上真正的"领路人"。马修的教育理念与院长大不相同，尽管不是院长，他却始终在以坚定的信念、博大的胸怀、炽热的爱心、智慧的方略去引领孩子，用人性的光芒驱赶孩子们心头的粗莽和无知。马修没有把孩子作为"管制"的对象，他的管理哲学是"牵引孩子的心灵"，培植真心、培育爱心，启迪他们发现美、发现自身价值。在这种价值理念的牵引下，音乐作为一种感染人的介质，马修用它去照亮孩子们灰暗的心灵，使他们从善向上的灵魂开始慢慢苏醒。

这个故事说明，一所学校价值观念的正确与否决定着学校的成败。而领导者的教育观念尤为重要，如果领导者本身价值观低劣，例如上面故事中所提到的哈桑院长，即使学校有种种完备的管制学生的工具，又怎么可能让教养院的工作获得成功？又怎么可能获得下属的信任而对下属有长期激励的作用？在一所学校，提倡什么，反对什么，什么是对的，什么是错的，所有这些都隐含着重要的价值评价。作为领导者，需要帮助他的追随者澄清他们在学校的角色以及他们身上潜藏的价值，将个人价值与学校目标结合起来，使他们工作有激情、生活有意义。

"通过价值进行领导"是学校道德领导者最根本的哲学观。尽管在传统的领导学中，领导行为似乎是与领导价值几无关联的东西，领导只是实施管理职能，进行计划、组织、指挥、决策。但是道德领导更愿意把领导价值与领导行为融为一体，也就是说，它主张领导行为背后都有强烈的价值意识支持，而且教育领导者应当具有符合教育本质的价值观，并有意识地向他的下属输出这些价值观。

恰如领导学者沃伦·本尼斯（Warren Bennis）的著名论断：做正确的事，而不是把事情做正确（do the right things, not do the things right）。在学校管理中我们首先应当强调正确的教育思想、准确的管理思路，而不是精确的管理技术。如果价值观念本身是错误的，即使标准再可靠、方法再精致、过程再严密，其最终结果也只能是南辕北辙，越行越远。

一、学校领导的本质

当代领导学理论越来越倾向认为，领导不仅是组织机构中一种规范化、科学化的活动，而且也是领导者施展影响力的一种艺术活动。优秀的领导者，往往也是对领导活动进行价值思考的哲学家。正是对领导活动本质的理解，才使领导者能够通过品格、修养和树立群体成员的共同理想等来使组织获得创造性的精神力量。

道德领导思想是高度关注"领导本质"，而不是"领导技术"的一种教育领导思想。这种理论主张同时也在前沿的领导学概念，如魅力型领导（Charismatic Leadership）、转化式领导、领导的替代、自我领导（Self-leadership）中得到支持。例如，沃伦·本尼斯等人通过对 90 位杰出领导者进行的研究认为，领导者影响下属的主要方法包括描述宏伟前景，传达高绩效期望，传递新的价值观体系，以及表明对未来前景的坚定信念，等等。"自我领导"所推崇的人员自我管理的模式特别强调精神的影响力，人内心信念的坚守等。

从学理上分析，"领导本质"是与"领导技术"相对应的一个概念，它概括说明了领导过程不仅仅是一些技巧，还需要用心灵去参与。对于领导的把握也不仅仅只是掌握一些组织行为的逻辑，行为培养和训练并不能解决一切问题。无论培训教程有多么神妙的技术，我们也不能认为领导力能够通过培训班一夜造就。领导过程在很多时候是"非理性"的，它包含了技术主义的方法所难以企及的领域。

值得重视的是，对于如美国这样一直坚持实证主义路线的国家，20世纪 70 年代以后教育界出现了对教育领导本质、教育领导哲学等问题的强烈关注。从而说明了在当代国际教育管理界，是"道德领导"等价值论思想，而非"全面质量管理"等技术论思想获得了更多的呼应和支持。

由于 20 世纪 70 年代的美国社会动荡不安，社会道德价值体系混乱，青少年犯罪率上升，学生测验成绩低下，当时美国教育界更多的意见倾向于用一种强化"管制"的手段来改变学校差强人意的情况。于是，强调遵循管理规律的改革策略占据了上风，运用标准化的考试等来评价教学质量便成为美国学校的一个重要现象。但是，教育上的问题可能并不像工商界的问题那么简单和线性，人们很快发现，用"管理手段"代替"改善"，却没有从根本上达到"培养人"的教育目的。在改革实施的很长时间内，教育中的问题仍然很严重：国际性的抽样测试中，美国学生的成绩仍然很差；学校继续面临着大量儿童和青少年的问题，吸毒、枪击，道德自律被视为迂腐；教师对于教育事业并没有真正的热忱，他们的工作多半只是为了谋生的考虑……

在这种情况下，一些不那么赞成用技术主义的思路来处理教育管理问题的理论家，不约而同地表达了对改革中种种问题的忧切。例如，贝迪·马伦（Betty Malen）这样说道：

当前强调标准、绩效为本的评估和公开的奖惩，反映了一种表面可见的、讲究有序的教育改革模式……可是，在改革目标是教育这样一种人性很强的事业中，这种机械的处方就会出故障。在某种程度上，无论是州政府还是地方学校，都不能以纯粹的理性的方式来行事。①

萨乔万尼更是对当时流行的教育管理状况提出了尖锐批评，并且感到这些问题是由于学校缺乏一种共同的信念、共同的事业目标所致，也是由于教育管理中对管理手段的盲目崇拜造成的。他指出，现时的改革策略涉及学校大规模的变革，比如大型的课程计划、复杂的评价体系、雄心勃勃的教师计划等，而结果却令人沮丧。关于学校领导，人们在着力的方向上似乎偏差了，人们太多地考虑使用强硬的、有力的、人际管理的技巧，带来的结果却乏善可陈。要提高教育质量，改革的策略应当触及教育领导的本质：

学校领导，与其说是一些零打碎敲的技巧和素质，还不如说是一种

---

① Betty Malen. On Rewards, Punishments, and Possibilities: Teacher Compensation as an Instrument for Education Reform [J]. Journal of Personnel Evaluation in Education 12, 1999 (4): 387 – 394.

渗透于行为中的态度①。

（一）理念是指路明灯

我们在与不同人群的交谈中得知，人们所尊敬的领导者，是那些有正确的信念，并毫不动摇地维护这些信念的人。他们对自己的事业充满激情，他们清楚自己及其追随者长期要达到的目的。在一个充满变化的、不确定的时代，他们不会在各种潮流面前改变自己的观点，也不会在遭遇挫折、情况不确定的情况下轻易放弃自己的信念。要成为一名可信赖的领导者，你必须让追随者感受到他们跟随你是在过一种有希望的生活。信念要转化为具体的办学理念，作为领导者，你要有所行动，通过适当的方式和手段，向你的员工阐明你内心深藏的理念。

[案例 2-2]　　　　理念指引下的追求

2000 年，殷丽华受聘为南洲星辰实验小学校长，这所学校是南洲市新开发的工业园区为打造投资环境最先实行的一个项目。殷丽华原来是南洲市下属某县市一所职业学校的副校长，工作就就业业，获得过很多奖项，事业上很成功。她决定变换工作，以便能在一个更有挑战性的环境里担当更重要的角色。

殷丽华并不熟悉小学学校管理的许多特别之处，她说："像任何一位新领导者一样，我必须获得威望。在任何一个单位，要建立威望不仅需要时间，而且需要工作思路，你要努力工作，为学校作出贡献，要有长期准备。"从外面来的人很难做，人们会对他的动机和能力产生怀疑。才三十岁出头、身材苗条且还没有走入婚姻殿堂的殷丽华的处境更艰难。她发起了第一个高年级"户外教育"计划项目，希望这个项目能给孩子们带来童年生活的美好回忆。但是，有人嘀咕说："值得花时间去做这种吃力不讨好的事吗？"

---

① 萨乔万尼. 道德领导：抵及学校改善的核心 [M]. 冯大鸣，译. 上海：上海教育出版社，2002：Ⅶ.

在最初的几年里，总有人与她的工作唱反调，说什么"这是职业学校的培养方法"，"她知不知道在中国小学生该怎么教"，或者干脆说"她花样百出，不会是没有地方发散热情吧"等等。殷丽华深感痛苦，她一度停止了所有的计划，觉得坚持不下去了……"我的想法是要在这所硬件设施很好的学校建设一种视野开放、与园区创业精神配套、与生动活泼的教育理念更一致的学校文化"她这样说。

殷丽华转而采取一种简单的方法巩固自己的威望。她每天在学校网站"校长工作室"上写随笔，写出她对学校未来的设想（愿景），也写出学校中人们的关注、她的思考、工作的进展，等等。"我每天都问一遍自己，我今天做了些什么可以证明我所重视的理念？我无意识做了与自己的理念相悖的事吗？我还需要怎么做来向他们说明我的理念？"

殷丽华就这样每天述说并证明她的办学理念，从而坚定了走下去的决心。她渐渐赢得了人心，学校里的老师喜欢看她写的东西，网络成为了她与人交流的一个重要渠道，人们开始认同她，而她呢，也更加热爱自己的工作了。

殷丽华"生动活泼"的教育理念指导着她对他人的行为做出反应，指导着她对组织目标的投入程度。她的做法一开始并不为所有的教师所理解，但是她坚持不懈的"理念阐说"使她获得了成功。理念在一定程度上决定着该做什么不做什么；什么时候说不，什么时候说是，它为领导者每天的决策设定了坐标。

如果学校领导有信念，清楚学校的办学理念，就会带领他的师生往既定的方向前进。任何事业在前行中都可能会有艰难时期，价值沉浮的时代，困难和诱惑有时甚至会使人放弃某些原则，但是理念就像是茫茫大海上的灯塔，激励着人们一直坚持做某些事，追求某个目标。只有拥有清晰、明确的信念才会让我们不至于鼠目寸光，才能让我们坚持内心的忠诚。那些不计报酬的付出是我们生命质量的体现。

（二）从"交易式"转化到"理念式"

尽管理念是指路航标，但是许多事实却表明，领导者并非都是"理念自觉"的，当我们的调查问及是否同意"学校领导者赢得追随者的最好方法是按照规则管理，而不是进行间接的思想影响"时，半数以上的学校领导者表示同意这种观点；当被问到是否同意"学校领导应当有能力控制学校中的师生员工"时，有90%以上的人群（包括校长和非校长）同意这一观点。我们在访谈中获得的一些信息还表明，"科层管理规则"仍然是学校组织最根本的原则。而在当权者的行政工作中，存在着运动式地推进教育改革，频繁评比、检查、对象重复的规定性培训等，把学校领导者和教师推到疲于应付的境地。在许多人的眼里，教育管理就是教育领域内的各项职能，是教育的计划、组织、指挥、协调、控制。教育管理应当是由"逻辑"与"理性"支配的结构。

然而，学校道德领导在强调这些结构性的环节之前必须要有正确的领导观。步骤和技巧固然重要，但如若方向有误，目标再精细、步骤再严密也都毫无意义。**不值得做的事是没必要做的**。层出不穷的管理举措出现，会使我们疲于奔命，要消耗大量精力监控工作、激励人群。我们应当找到更精妙的着力点，寻求更为隐性的驱动力，追求"四两拨千斤"的管理效果。传统管理思想关注的主要是外部的动机和需要；道德领导思想则关注更高级的、内部的、最终是道德的动机和需要。

综上所述，领导应当以理念为本，关注组织成员的精神动力，激发组织成员的人性潜能，使组织成员充满责任感地完成任务。尽管理念为本的领导是教育领导的终极追求，但是从面向学校的实践看，从"控制式"到"理念式"，要经历重要的"转化"过程。按照伯恩斯的说法，领导只有从"交易式"变为"转化式"，才能达到"引领精神"这种境界。

"交易式领导"（Transactional Leadership）和"转化式领导"是当今领导学理论发展中一组重要的概念，在学术界有非常高的引用率。伯恩斯1978年在其颇具影响力的著作《领袖论》（Leadership）中谈道，领导关系有两种类型：交易式领导和转化式领导。顾名思义，前者强调交换，后者强调转变。在伯恩斯看来，交易式领导更加普遍，"大多数领导者与追随者的关系是交易型的，领导者接近追随者是出于交易的目的：以工作来换取选票，或者以补贴来换取竞选捐款。这样的一些交易构成了领导者与追随者之间的关系主体，尤其是在集团、议会和政党内部"[①]。

伯恩斯提示，在各种组织中可以发现为数众多的交易式领导，这种交易可以是经济的、政治的或者心灵的。当一个人主动与他人订立契约以交换有价值的事物时，交易就产生了。例如，领导者应用各种评价进行业绩考核，一个上司会让自己的下属知道，业绩表现将决定每个员工的加薪额度，不管是明说还是暗示，上司与下属之间存在着明显的交易。再如，以许诺某种东西激励下属按照既定的目标活动，根据下属表现给予相应的奖励，等等。由此，交易式领导遵循的是个人主义的领导哲学，领导者和员工都被认为是追求个人利益的主体。进行交易的双方，在交易的短期内，目的是相互关联的，双方基本上是一种讨价还价（Bartering）的关系。

与此相对应的是"转化式领导"。虽然交易式领导有其自身的合理性，业绩表现和薪水补偿都是"理性"的人的正常要求，但是这种做法却不能将领导者和追随者联结在一起追求更长远的目的，交易式领导并不能创造"卓越"。只有当领导者和追随者彼此将动机和品行提升到更高层次时，才会产生转化式领导的关系。伯恩斯说道："转化式领导比交易式领导更复杂，他们更胜一筹。转化式领导承认潜在追随者的现有需求。不仅如此，转化式领导还重视追随者的潜在动机，试图满足他们的更高需求，力求赢得追随者的忠心。转化式领导确立一种相互激发和提升的关系，这种关系使追随者转化为领导，也能把领导者转化为充

---

① Burns J M. Leadership [M]. New York：Harper & Row Publishers, 1978：10.

满道义感的人"①。

在伯恩斯看来，转化式领导激发了领导者和被领导者合乎道德的理想，这种领导关系对双方都产生了潜移默化的影响，追随者由于"精神振奋"而变得更加主动。转化式领导还是一种动态的领导，在领导过程中不断产生新的领导者，也就是使员工也成为领导者。这种领导超越了对既存事物的管理，它不需要领导者像对待奴隶一样把自己的动机和目标强加给追随者。这种领导强调通过各种途径调动、满足、重塑追随者的需求，促使他们一起向更高级的动机转移。

伯恩斯将穆罕默德·甘地作为转化式领导的典型，甘地唤醒并振奋了无数印度人民，同时在这一过程中完善了自己的生命和人格。由此可以看到，在领导哲学的观念上，转化式领导提供了更加合理的"个人"概念，个人是与国家、集体、朋友、家庭相联系的，公共的福利比个人的福利更重要。在转化式领导模式中，行为动机不受强制，组织在内部信任中发展，领导者和追随者体现了更强烈、更高水平的道德价值观。

萨乔万尼进一步论证了这种"转化"过程，他提出一个"四 B 领导步骤"，说明教育领导是随着学校发展的各个阶段而步步递进的。

第一步，物物交换的领导（leadership by bartering）。

第二步，建设型领导（leadership by building）。

第三步，契约式领导（leadership by bonding）。

第四步，储蓄式领导（leadership by banking）。

以伯恩斯的划分为参照，"物物交换的领导"属于"交易式领导"，也即高度重视利益的领导类型。而"建设型领导""契约领导""储蓄式领导"属于"转化式领导"，它们都以价值为本。进一步说，"建设型领导"与"转化式领导"的初级阶段相对应。焦点集中在提升人们的能力，满足更高层次的需求，激发领导者和追随者高水平的业绩和承诺；"契约式领导"与"转化式领导"的高级阶段相对应，领导者唤起

① Burns J M. Leadership［M］. New York：Harper & Row Publishers，1978：4.

人们提升学校目的和目标的意识，使领导者和追随者联结成一个拥有道德承诺的盟约。在萨乔万尼看来，"契约领导"是整个领导的关键，它通过激励人们特别的责任感和业绩，帮助学校超越一般能力而达到卓越，使人们从对领导者个人的追随转化为对理念的追随。

然而，从学校来说，只有达到储蓄式领导的层次，才能将常规活动制度化，使"学校改善"走向现实。储蓄，即为新的项目和计划保存人力资源，学校管理者像管家（minister）一样为学校服务，促进人们各尽其责，保护学校的价值。当领导上升到"储蓄式领导"层次，也即达到了"道德领导"的境界。

［案例 2 - 3］　　　　从交易式到理念式①

1978 年，珍妮·肯觉克（Jane Kendrick）来到印第安纳哈蒙德的易格思（Eggers）中学任校长助理。她发现学校乱糟糟的。易格思中学作为一所开放中学成立于 1973 年，职员是应征的教师，他们中的大多数人在开始工作时既不知道怎样在一所开放中学教学，也不认可这些概念。于是，易格思中学成了一所低士气、高纷争、学生纪律问题颇多的学校，学生成绩在州平均成绩以下。人事主管后来评论说，"在那些年要求从易格思转校的学生非常多。我想在我任人事主管期间要求转校的学生是最多的。"

一到学校，肯觉克就建立了工作程序：改善学生行为、提高教学业绩、提高职业指导标准。1979 年，她成为校长后，全面探究了"学习型共同体"的概念，在学校内部组织起"训练队"，并被指派为"学习型共同体领导"的教师领队。她引入大量员工发展项目，培养教师的领导能力，引入学校改善模式，设计以学校为本的改善计划。

易格思中学逐步呈现出基于目的感和共同价值观的一种新的格局，学生的测试成绩取得了令人瞩目的进步。1977 年，在爱荷华州基本能

---

① Sergiovanni T J. Adding Value to Traditional Leadership Gets Extraordinary Results ［J］. Educational Leadership, 1990, 47（8）: 26.

力测试中，该校八年级平均成绩为：词汇 7.1；阅读理解 7.2；数学概念 6.4；数学计算 6.4。1986 年，在综合基本能力测试中，同年级平均成绩为：词汇 8.7；阅读理解 8.9；拼写 9.7；数学计算 10；数学概念 9.5；社会研究 9.6。

学校还发生了其他的变化。易格思中学被选为印第安纳州改善学生教育机会的成功案例，并成为利里大学中年级认可项目的 15 所中学之一，获得利里大学 2 万美元捐赠。珍妮·肯觉克这样阐述她的学校在领导方式上的转换：与过去学校文化和领导行为只限于关注安全性的需求不同，现在我倾向于推广一种发展性的、社会性的、满足青年人学术成长要求的决策文化……在大多数情况下，这种过渡是连续性的，以某种技能和活动作为下一步更综合行为的铺垫。

肯觉克刚成为校长时，她的行为主要是指令："我作演讲，告诉人们怎样思考、什么时候思考、思考什么。我制定规则，并强化这些规则。我的活动成为讲演、制定规则、派遣、评价。"她向她的员工强调什么是她所希望达到的，并且给要求的行为以适当的奖惩——她实行了一种"物物交换的领导"。

后来，肯觉克又强调一种行为训练提高其领导的等级，把教师队伍建设成为有效的模式。例如，引入 SIP 学校改善模式发展参与式领导，以及强调与"建设型领导"相关的实践。这些做法为肯觉克强调"契约领导"提供了基础。在这一过程中，她的策略是建立共同目标，创造愿景，构建领导团队，提供机会使教师成为领导，并发展一种"同行伦理"的价值观，使教师和家长都来共享领导的含义，学生也被认为是参与者。1987 年，肯觉克说，"我观察到我们工作人员的规范从以安全、纪律问题为核心转变为关注道德、诚实等问题。"

随着易格思的前进步伐，肯觉克相信她会成为"愿景的维护者"，激励工作人员努力为学生做正确的事。她的角色需要从"实行者"转化为服务于其他实行者。这是一种对"储蓄式领导"的强调。她谈道：几位工作人员，特别是领导班子成员，都远远超出了一般职业发展的期望。当他们在员工发展、同辈培训以及未来规划方面成为自己的领导时，我意识到，有些人不可避免地会超过我，不仅是专业技能，而且是整个领导能力。

易格思案例呈现了学校领导从"交易式"过渡到"转化式"，从"控制式"转化到"理念式"。学校改善始于"物物交换的领导"，经过"建设型领导""契约式领导"，最后转向"储蓄式领导"。也即从一所低士气、高纷争的学校转变为学习共同体，学校发展为有目的感和共同价值观的新格局。

（三）尊重教育管理中的主观性认识

如果说格林菲尔德和霍金森等人阐发的主观主义观点在20世纪70~80年代的国际教育管理界还只是一种"荒野中寂寞的声音"，那么80年代之后，与之相似的观点日益形成教育管理、评价、课程和教育哲学方面的"知识观同盟"。人们越来越看到了定量方法的局限，呼吁应用定性方法。吉兹（Geertz）提出了"深度描述"的概念，并主张教育研究者的首要任务是"描述"和"解释"每一场景的特别结果、特别因素。著名教育心理学家克朗贝其（Cronbach）对他研究生涯中长期坚持的逻辑与假设的重要方法产生怀疑："应当努力去探究每个特定的个体和一定的教育应对之间的因果关系，个体都是有特定的资质的，不要试图去寻求一般的、通行的规则。"克朗贝其宣称，人类行为并非是由"动机"产生的，"那些期望研究能产生精确的因果归纳，并指望应用这些归纳为实践开处方、指点实践的人，那是在幻想神的降临"①。

这些不主张"教育管理有清晰的科学规律"的认识在一些研究者的论著中不断出现，古巴和林克伦（Guba，Lincoln）特别提倡在教育

① Donmoyer R. The Continuing Quest for a Knowledge Base：1976 – 1998 ［G］// Joseph Murphy J. Handbook of Research on Educational Administration. Karen Seashore Louis （ed）. Jossey-Bass，1999：26 – 40.

评价中应当应用定性研究程序，他们抱有与格林菲尔德相同的观点，认为组织并不是由规则所控制的"客观实体"，而是与人的主观意义建构在一起的"观念实体"（Donmoyer，1999）。亨利·明茨伯格（Henry Mintzberg）指出了"管理工作的浅表性"，在对五位管理者具体、系统、时时刻刻的观察中，明茨伯格发现，管理者的工作具有短暂、多样和琐碎的特点。管理活动不仅多样，而且毫无范式，互不相关。管理者在很多时候是通过"偏爱"来工作的，即对活生生的行动的偏爱，并用口述的手段来操纵这种行动①。

萨乔万尼坚持了主观主义者的根本立场，他自称他所研究的教育管理是"邋遢学派"，与规律、整洁、秩序的要求相去甚远，他幽默地表示："不能用逻辑方法证明的思想才是最值得关注的思想。"

尽管结构严密的等级制以文件的形式存在，但校长仍然有大量的自主权，即允许他们以自己的价值观和偏爱来影响工作（Sergiovanni，1987）[15]。

教育界内外的人越来越倾向于用文化的概念思考和谈论学校，而不是用科层规则、组织图像。社会科学研究中，单纯的"客观视角"是不可能的，教育领导问题的分析，离不开人的主观立场和态度。而我们所倡导的"道德领导"，其"主观主义立场"表现在：

➤要"理性"而不要"理性主义"。这一观点意味着教育领导者不能抱着那些似是而非的理论原则不放。尽管以社会和管理科学为基础的理论，使每位校长掌握了一定的组织、管理、监督的技术，为解决学校行政和管理中的问题提供了方法。但理论只能用于"指导"实践，却不能"规定"实践。也就是说，理论只能作为"方法的理性"指导工作，而不能作为"照搬的原则"被一一对应。

---

① Sergiovanni T J. The Principalship：A Reflective Practice Perspective［M］. Allyn and Bacon，Inc.，1987：13.

➢在教育评价中要多采用"自然主义"的评价观。"自然主义"的评价观与"科学主义"的评价相对应,主张"评价"并不是"科学测量"。真正的评价应当放弃对教育活动的"预设",在教学活动前建立明确的目标和可展示的能力水平,因为现实情境中,教育活动是不能够预设的。"自然主义"的评价倡导用"人类学分析方法"、人文性的"鉴赏与批评",以及对事物进行"亲临现场"式的描述与分析等。

➢教育管理是"反思性实践"。这一定义意味着教育领导者在实践中要处理不确定、不稳定、特殊性、价值冲突等情形。按照沙恩(Donald Schon)的描述,"反思性实践"通常是指教育领导者"活动中的了解和反思",他们会自问:"这件事使我在思维方式和观念上注意到了什么?我做这一判断的标准是什么?我执行这一技术要进入什么程序?我如何构建我试图去解决的问题?"个体需要去处理一些困惑、麻烦和有趣的现象。当他想弄明白时,他就能反思活动中隐含的其他含义(Schon Donald A,1983)。

"反思性实践"等说明了教育管理既不像物理学、心理学那样具有明显的科学特性,也不是一门"应用科学"或"技艺知识"(尽管关于教育管理是"应用科学"的认识已经得到很多人认同)。教育管理只是应用科学知识和经验知识,把专业人员的"理智直觉"[①] 等作为专业知识,应答独特的实践问题。正如萨乔万尼所谈到的:

实际上,校长的工作是通过加深理解、发现价值、沟通含义来使乱七八糟的情况有意义。由于实际情况是以特定的事件为特征的,对问题程式化的回答似乎不起作用。由于教师、督导、学生都把信仰、假设、价值观、选择、偏好带入课堂,客观的把"价值"从"事实"中完全分离的管理策略似乎并不能触及最重要的问题。由于学校管理过程通常是不确定和复杂的,因此"理智直觉"十分必要,可以填补已知和未

---

① "理智直觉"是伯格森生命哲学中关于直觉理论的一个概念,指人的思维直接把握事物本质的一种内在直观认识,是联结感性经验和已有知识做持续思考的一种思维洞察力。

知之间的空间（Sergiovanni，1987）[XIII]。

教育管理现象不可能是完全"去价值"的，事实与价值不可分割。因此我们需要"关注领导的本质"。我们认为世界由不同的人以不同的方式解释，教育领导应当发展更多描述性的见解。但是，值得指出的是，像把握光和热一样，我们不能停止在这个领域对真理的追求。克朗贝其说过，社会科学世界的规律并不比物理世界少多少，问题是社会规则太繁复，在社会科学领域内确定规则太困难。由此，我们并不主张完全抛弃规律、理性、定量手段，因为它们同样是认识世界的重要方法。但同时我们认为对工具理性的过度崇拜必将使我们损失更重要的东西，这也是我们提出"**尊重**主观性认识"而非"**偏重**主观性认识"的立意之所在。

二、道德承诺是学校领导重要的动机规则

领导人不是单打独斗的英雄，调动人，激发人，靠团体共同的努力去实现成效是领导人最重要的工作之一。在经典管理理论有关员工激励问题的探讨中，人们总把焦点集中在人的需要和动机上，认为它们是推动人行为的原因。马斯洛的"需要层次理论"、麦克利兰的"成就需要理论"、赫兹伯格的"双因素理论"都从不同的角度说明了一个观点：需要决定动机，动机推动行为。而道德领导的激励假设是：人类不仅受利益需要所驱动，而且受情感、价值观、社会理想，以及在一个团体中与其他人的某种"公共契约"所驱动。

道德承诺作为动机规则延续了传统哲学关于义务和功利古已有之的争议。道德、义务并不总是作为利益的对立面而存在。驱动人行为的不仅是个体的自利，还有公共的自利。我们不仅谋求个体利益的最大化，而且谋求公共利益的最大化，以增加社会的总体福祉，并相信这将最终有利于我们自身。与之类似的观点也在一些心灵存有"共产主义思想"

的西方学者那里得到发扬。例如，艾兹奥尼在他的社会学理论如《道德维度：面向新经济》（The Moral Dimension：Toward a New Economics，1988）等著作中，有力地驳斥了古典经济学的效用观念——人类受最大限度实现自我利益的欲望所驱动。尽管从现实政治的意义上说，"乌托邦"式的社会理想主义难以行得通，它在现代工业社会中的声音也很微弱，但随着人类文明的提升、社会人员素质的提高，人们越来越相信理想主义感召力的存在。艾兹奥尼也并不否认自我利益的重要性，但却给情感和价值观，给作为激励因素的道德以更高地位。[①]

艾兹奥尼重点研究了组织成员对组织的"从属"（也称"顺从"），他借助大量研究资料分析了从属、组织目标和组织效能的关系。他指出，一定类型的从属应当与一定类型的组织目标结合才能使组织更有效。他认为，从属有三种类型：**强制性的从属、功利性的从属和规范性的从属**。当组织需要控制那些不按常规行事的成员，阻止他们继续进行不正常活动时，那就是强制性的从属；当组织旨在从外部意义上提供某种物品和服务，靠允诺金钱、职位提升、好的等级、好的工作条件、政治利益、提高社会地位、满足心理需求等方式吸引成员时，那就是功利性的从属；当组织维系在某种价值理念之下，创设和保存某些有象征意义的东西，并固守某种承诺时（例如很多英雄为其信念而宁愿付出生命），那就是规范性的从属[②]。

很明显，艾兹奥尼所说的强制性从属是一种消极意义的从属，在这种气氛中，领导者常常在防止某种"失控"现象的发生；功利性的从属是如今企业或其他组织中多见的一种成员从属类型，其背后的假设是人人都有自我利益的计算；而规范性的从属，是艾兹奥尼强调的核心，其背后的假设是，人们相信他们正在做的事是正确的、好的，参与其中

---

① 参见 Amitai Etzioni，The Moral Dimension：Towarel a New Economics. The Free Press，A Division of Macmillan，Inc.，1988. A Comparative Analysis of Complex Drganizations. The Free Press of Glencoe，Inc.，1975.

② Etzioni A. A Comparative Analysis of Complex Organizations [M]. The Free Press of Glencoe，Inc.，1975：103－120.

能得到内心的满足。所谓"规范"，其含义应指一个共同体内成员共同遵守的盟约，例如公民自觉排队的意识，微细的行为规范承载着某种"道德承诺"。

学校作为一种文化传承和文化创造的组织，它尊崇的是自由、正义、真诚、平等、关爱等价值理念。在学校，靠获得奖赏的"功利性从属"和防止失控现象的"强制性从属"都不能激发教职员工的全部工作热情，只有靠价值观、信念、目标的鼓舞才能激励教职员工以全部身心去参与。功利性从属带来的只能是斤斤计较的参与，而由共享价值观、信念获得的从属可以保持道德的参与。道德领导不仅是头脑、方法的投入，而且是心灵的投入，是对意义、信仰的承诺。换言之，一般领导驱动组织成员的"躯壳"，而道德领导驱动组织成员的"灵魂"。

（一）美好的东西使人去做

人类会超越"利益驱使"而进行道德选择，这不仅是艾兹奥尼的观点，而且在西方经典组织理论中随处都能找到它的痕迹。例如，巴纳德对领袖道德的关注由来已久，在20世纪30年代他就指出，企业存续时间的长短取决于领导的质量，领导的质量取决于组织的道德性。巴纳德的社会协作系统理论建立在道德理想的基础上："所谓领导是能够使组织活动的协调和组织目标的制定具有高质量和道德性的个人决策的能力"（1997）。

萨乔万尼强调，当个体利益与公共利益发生冲突时，人们并不都要为前者牺牲后者。人们的决策和行为既受价值观和信念的影响，也受自我利益的影响，当两者发生冲突时，价值观和信念通常能战胜自我利益。

根据"道德承诺可以替代自我利益"的人性假设，萨乔万尼分辨出三种类型的人类动机规则，如表2-1所示，说明了动机的来源和驱动这种动机的心理因素。

表 2 - 1　三种动机规则

规　　　则	动　　机	驱动因素
为能获得的奖赏去做	外部获得	计算的
正在得到的奖赏使人去做	内部获得	内部的
美好的东西使人去做	责任或义务	道德的

资料来源: Sergiovanni T J, Moral Leadership [M]. Jossey-Bass, 1992: 27.

第一种动机规则——"为能获得的奖赏去做",这是当今领导实践最为通行的动机规则。戴维·格林(David Greene)等人的实验研究指出,"为奖赏而工作势必使人产生受到奖赏控制的感觉。这种感觉会影响他们随后的表现和创造性"(Sergiovanni,1992)。为奖赏去做,势必造成领导者不断调节奖励,这是一种忙忙碌碌的领导,领导人需要不断想办法维持与员工的利益交换。其结果,员工"有奖励才愿意工作",这只是一种外部动机,它阻碍了人成为自我管理者和自我激励者。

第二种动机规则——"正在得到的奖赏使人去做",这是赫兹伯格"双因素"理论中包含的一种动机规则。在这一动机规则下,工作本身的兴趣、它的挑战性都成为动机的源泉。那种有更多成就机会的工作是最具有激励力量的。人们受个人发展的内部动机所驱动,这种动机规则替代了人们早期对"奖励"因素的关注。是探索、发现、多样性,鼓励自治和自我决断,让人拥有自己行为的"原创"感(而不是受外力摆布的"走卒")等,促进了个体"有能力"的感觉。

第三种动机规则——"美好的东西使人去做"。萨乔万尼指出,"为能获得的奖赏去做"和"正在得到的奖赏使人去做"都还不够,人类还应该有更为重要的动机规则:"美好的东西使人去做",这强调了人们做事的动机是内心的道德理由,道德的追求是美好的追求。由于道德承诺,人们感到有责任去做,给人一种超凡脱俗的审美感受。萨乔万尼写道:

关于学校的理论应当反映审美要求，它的语言和图式应当是美的，能够激起人们对人类生存的目的和条件相应的思考。关于学校的理论应当以理念为本，重视道德链接。它应当唤起事物圣洁性的图景，促使人们由于内部而不是外部动力来应答。关于学校的理论应当对人的"理性"有清晰的见解，它应当理解，人部分地是由自我利益驱动的，但是人也有能力并有愿望为更高的理想而超越个人利益（Sergiovanni，1996）。

人是以道德判断来审核自身的欲望的，在很大程度上，道德的承诺可以解释人的外显行为。道德领导思想的激励观就是：物质奖赏不可忽略，人的心理需求也应当考虑。但是，这些都还只是一些外部的力量，它不能说明人类动机的根本，至少不足以说明人类动机的全部。人类更为重要的动机是，他们常常会因为道德的原因而牺牲自我利益，他们会为道德、情感以及社会契约所驱动。

[案例 2-4]　　　专注于内心道德的理由[①]

所有伟大的领导者，都经历了与自己灵魂作斗争的过程。在参加克鲁泽的布道会时，马丁·路德·金广泛地阅读了历史知识。书读得越多，他就越发怀疑基督教所讲的爱是否是世界上一种有影响的力量。他对自己能否成为一名和平主义者同样充满疑惑。尼采的有关战争和权力无上荣耀的文章，以及有关即将出现的优秀种族将要统治芸芸众生的宣告，沉重地打击了他关于爱的信仰。在有人引见他聆听甘地的教诲前，金并未受到非暴力不合作理论的激励与鼓舞。通过阅读甘地的传记，金了解到甘地在还是一名律师时就一直执著地与自己的仇恨、愤怒和暴力倾向作斗争。在平息了自己内心的矛盾冲突之后，金开始热情地信奉非暴力主义的哲学。

---

① 詹姆斯·库泽斯，巴里·波斯纳. 领导力［M］. 李丽林，等，译. 北京：电子工业出版社，2004：317.

就像金一样，领导者必须了解自己最主要的价值理念，"美好的东西使人去做"，我们必须解决内心不和谐的声音。专注于道德的目标会让人始终把目光聚焦在更高层次的理想上。当我们努力把自己变成自己所向往的领导者时，我们将赋予我们所在的组织以新生。

（二）教育领导的道德使命

学校究竟是什么类型的组织？对此，教育管理学界已进行了大量研究，深入的分析使我们认识到学校不仅是一个实现管理效率的单位，更是一个文化场所。学校的一切工作都以育人、培养道德高尚、身心健康、知识渊博的学生为目的。然而，排山倒海般的日常事务和家长对考试成绩的要求等各种重压，使学校领导喘不过气来，学校预定的工作不得不侧重安排与标准化的评估相关联的内容，测试学生在知识技能上的表现。但是，作为教育领导者，应当理解学校最根本的社会责任，重视学校教育的道德目的。知识与技能是重要的，但它们只是学校全景图中的一部分。教育领导必须发挥他们超常的领导力，凸显自身的道德目标。如果说经济型组织以经济指标为首要使命，政府机构以政治责任为第一要务，那么学校则始终应把道德使命放在首位，作为学校的领导者，他们最重要的使命是教育工作中的道德意图。

功利主义价值盛行的时代学校似乎也不能免俗，我们注意到了教育领域内愈演愈烈的浮躁、草率、追逐名利等现象。试想，一个热衷于跑官、造假的校长能带来一种什么样的组织气候？迫于权力而"夹着尾巴做人"的教师，谈什么培养学生健全的人格？他们会给未成年人的价值观抹上什么色彩？如果作为教师与学生"领头人"的学校领导者，他们对自己身上的道德责任都很模糊，我们如何才能完成社会的期待？人们希望公正、平等、关心和文明的人际关系是从学校开始的。因此，即使处在最恶劣的社会气候之下，学校领导也应当有坚定的信念和道德的承担，而这，也是教育领导区别于其他职业的伦理精神之所在。

从伟大领袖到普通老百姓，从驰骋疆场的将军到进入艾滋病感染地区进行救助工作的"义工"，每一个不想虚度人生的人都会根据自己的学识、经验、环境而为他人和社会作点贡献，这就是使命感的体现。在名与利的诱惑中，学校领导有可为和不可为的选择，道德使命，还原了教育领导者的本来面目。

教育领导更深层的道德使命是对人类普遍价值的关怀。澳大利亚著名的教育管理学家贝茨（Richard Bates）指出，教育领导必须关注学校内部文化的形成与复兴问题，切实形成民主的、非强制的学校管理文化（1986）。富兰的"道德的生态系统"关注人们是否可以超越各自不同的利益、贫富等级、文化渊源、宗教、民族而维系在一起。由此，我们认为，从行政和政策的层面，教育领导的道德使命还包括：存在竞争的观点时，关注哪种思想更有价值；考虑学校教育怎样巩固了不同经济等级的社会关系；审视学校教育的知识分布是否携带着强烈的阶级关系，等等。管理的每一项决策都携带着道德的含义，对于来自于不同阶层的学生，我们仅仅是把学校作为一个"社会化"的机器，调整青少年适应当前的社会化结构，还是应当把不同的文化和群体视为改革的力量，倡导一个更为公正的社会？

[案例 2-5]　　承担对文化尊敬和理解的义务[①]

两位学生领袖要求和校长会谈。学生理事会会长谢丽尔和学生活动委员会主席切德想谈谈返校节活动。因为返校节离学校新学年开学太近，所以在这一周内学生总是由于承担过多的义务而感到紧张和焦虑。校长霍华德先生非常了解这一情况，因此他很注意在这一周内对这些学生领袖给予特别支持。

会谈中，谢丽尔表示想知道霍华德先生是否赞同学生理事会的一项集资活动："奴隶拍卖活动"。她认为这没有任何问题，但学生理事会

---

① 阿瑟·W.库姆斯. 学校领导新概念：以人为本的挑战［M］. 罗德荣，等，译，北京：中国宇航出版社，2002：190-193.

顾问认为他们最好是和校长说清一切，"以防万一"。

切德描述了整个活动的计划。他给了霍华德先生一份宣传材料，说明了活动将怎样进行，在什么地方和什么时候举办以及它会为学生理事会创造多少收入。他们极其需要筹集资金，因为今年他们必须和中学分享出让足球赛特许权的收入，他们的经营预算非常紧。"奴隶拍卖活动"的人气一直很旺，并且当学生将他们的服务拍卖给出价最高的竞拍者时，会获得很多乐趣。

霍华德先生看到活动计划很周详。他问谢丽尔和切德是否和整个理事会成员商讨了计划。得到肯定答复后又问他们是否预料到可能出现的各种问题。谢丽尔犹豫了一下回答道：

"哦，我们知道'奴隶拍卖活动'可能会惹恼有些非裔学生，因此我们把它改名为'个人服务拍卖活动'。我也问过丹尼斯（一位有名的受尊敬的非裔学生领袖和运动员）他是否会被拍卖活动惹恼。他说不会。因此我们推测这也许对每个人都没问题。"

霍华德先生叹了口气。他认为学生不应该进行这项拍卖活动，因为不管活动的名字叫什么，它体现的仍然是将一个人卖给另一个人做奴隶，而他认为这一传统是美国历史上非常不幸的一页。他往远处看了一眼，试图重新集中思想。

他怎样才能既支持学生又能帮他们认识到"奴隶拍卖活动"的丑恶象征意义呢？他个人没有时间和他们一起创建一项新活动。他也知道他们工作得很努力，如果他不赞同这项活动，他们会很难过甚至会愤怒。然后，当他们回去向理事会汇报时，所有的学生都会愤怒。他希望他们的顾问能承担更多的引导工作，并在计划实施前抓住机会进行文化意识和尊重的教育。

最后，霍华德先生转向期待着的学生。他先告诉他们他不能支持拍卖活动。他们的脸拉了下来，接着变得很僵硬。他解释了他的个人感受和为什么不能在学校里再现历史上不幸的一页。他和他们谈到谢丽尔询问丹尼斯他是否会被拍卖活动惹恼时她使丹尼斯所处的境地。他试图让他们了解一个高中生很少会说他或她被惹恼了，因为反对长期存在的传统需要极大的个人勇气——特别是考虑到学校里非裔学生极少的事实。

霍华德先生认识到他的话对这两个学生只是徒劳，因此中断了自己的评论。他告诉他们，他对不能支持他们有多抱歉，因为他们显然为计划这个活动付出了大量时间和精力。他表示如果谢丽尔和切德需要的话，他愿意去学生理事会解释原因。他们摇摇头说不用，然后离开了，显然极其恼火。霍华德先生祝他们好运并在心里惦记着等过些时候，等这周的压力过去，事情平息下来后再见见他们。

接着他前往学生理事会向顾问解释发生的事。他想先解释一下他的理由。顾问听完了霍华德先生的解释，但并不同意霍华德先生的观点。他说他真希望霍华德先生在本学年开始前就告诉他。

离开顾问后，霍华德先生走出办公楼，进行了长时间的散步，以思考刚刚发生的一切。他对这位教师的回答不只是有点恼怒，还对似乎只有他一人质疑活动的道德性感到有点沮丧。他冷静下来，回到办公室，并在下一次教员会议的议程上增加了一项事宜。他还给自己写了张便条：提醒每个人承担我们对文化尊敬和理解的义务。他知道关于他不同意的消息将会很快传开，他接着抓起他的三明治向学校食堂走去。他希望通过和人们在午餐时的非正式谈话防止发生不幸。

这位学校领导人认为对不同文化的理解和尊重是学校教育的基本目的，这比支持学生活动更重要，但困难的是他的教员反对他。在日复一日的教学与管理活动中，教育领导者不断处理和应答着这些两难问题。作为教育领导者，最艰辛的任务是唤醒学生和员工反思性地看待这些问题，批判性地审视自我、角色和社会机构，这样，也许这些两难问题都能得到转化。道德的、伦理的、促进社会公平的价值观也许会超越资本积累、等级制度和科层控制而成为学校文化的核心。

（三）信誉是根本

对于领导者来说，什么是最重要的？是什么使我们的集团能保持长期的成功？从 1987 年到现在，著名的领导学者詹姆斯·库泽斯和巴里·波斯纳调查了世界各地的几千个政府机构和企业，跟踪研究追随者对领导的期望问题。调查的结果表明，在人们尊敬的领导者的品格中，"真诚"总是占据着第一名的位置，这说明领导的基本东西并没有多少改变（库泽斯，波斯纳，2004）。

诚信不仅仅是领导者个人的品质，对我们所在集团的影响也是巨大的。然而，很多材料却显示，我们在一点一点地迷失方向。不值得称道的行为相似得令人心烦：为了在教学评估中获取高分而虚假地垒高数据；为了拉来更多的生源，做出不明晰、非理性的承诺；为了所谓的学校整体形象而"包装"业绩。不是吗？有多少所学校，在向社会公开他们的中高考成绩时，手法高明地"技术处理"，把成绩处于底部的学生名单抹去。还有很多成人学院长期以来靠泄露考题招来生源，几乎成了贩卖"文凭"的场所。当社会上为一己之利而牺牲行业整体信誉的短视行为盛行的时候，学校似乎也不能免俗。所有这些问题，我们都还没有现成的办法去解决，其中一些问题的解决，也许需要整个社会诚信系统的建设。而教育，处在这个系统工程的源头，学校领导，难道不应担负起这神圣的责任吗？

信誉捍卫了学校教育的高贵品质，也维护了领导者的职业形象。有信誉的学校领导者不会在私利面前迷失，他和他的追随者要考虑所有相关者的需求，而不会无视社会责任和大众利益。然而，这并不代表讲究信誉就是无谓的付出，恰恰相反，信誉的所得远远超过了金钱、短期利益和局部利益。弗雷德里克·里查赫尔德和他的同事广泛研究了忠诚的经济价值，他们发现，不忠诚会导致业绩下降 25% ~ 50%，而只有忠诚才能带来卓越。正像许多优秀企业领导人告诉我们的企业经营心得：诚信的原则，铸就经久不衰的企业。而学校，也只有诚实守信、精神高尚，才更有生命力，能创造更持久的价值。

[案例 2-6]　　　　　　　　吹牛要付出代价[①]

　　学生家长刘某与一所民办学校签订了女儿入读该校的协议书，协议中承诺：使每个学生学习成绩都能在原有基础上不断进步，并定期向家长通报学生各方面的表现。学校还在当地媒体上宣传该校让每个学生都当"第一"的办学理念。

　　刘某的孩子后来参加全市统考成绩不理想，家长认为这与当初承诺的差距较大，而且学校在整个学年都没有与家长联系并告知学生的学习情况，是严重的违约行为，家长因此将学校告上法庭，学校迫不得已给家长一定经济赔偿后，双方庭外协商解决。

　　类似的事件给这所学校带来了很坏的社会影响。三年后，当地人一说起这所学校，就说它是"骗"学生进门的，要求转学的学生越来越多。招生季节，学校也是门可罗雀。

　　也许校方最初迫于生源缺少的压力，为了招生宣传使用"权宜之术"而许下了"第一"之类的办学承诺。但是承诺能否实现，他们没有仔细考虑，或者是想通过模糊的用词来逃避责任。任何组织都可能会有不景气的时期，有的领导者能坚持住原则，而有些人却太软弱、太势利，以至抵挡不住眼前利益的诱惑，这样的领导者，长期来说，能获得成功吗？

　　所有的人都不喜欢被欺骗。在任何情况下，信誉都是难能可贵的，它是尊贵的"易碎品"。信誉的建设，是一个持之以恒、经年累月的工程，如果我们哪天不注意，或者一个集体中只要有一部分人不想维护它，那我们就很可能会在不知不觉中失去它。虽然总的来说人们能够原谅别人说错几句话、做错一点事，但人们这种容忍是有限的，如果领导者一而再、再而三地犯错误，就很难获得信誉。如果组织的信誉遭到严

---

① 改编自佚名. 民办学校怎样做到依法治校 [N]. 中国教育报，2006-03-19 (3).

重伤害，它离毁灭也就不远了。

三、道德权威是学校领导的核心权威

台湾学者叶连祺对当前活跃着的教育领导概念进行整理后，认为这些概念已有 60 多种，这么多概念的出现说明教育领导理论的"丛林"景象已经产生[①]。而雷斯沃德和杜克的分析指出，众多教育领导概念中，教学领导、转化式领导、道德领导、参与领导、管理式领导、权变领导是最具代表性的概念（Leithwood，Duke，1999）。

纷繁复杂的理论概念代表了不同的理论指向，既然道德领导被认为是一种有生命力的领导模式，那么它最主要的特色是什么呢？它又为什么被称为道德领导？

道德领导思想最主要的特色是强调道德权威在领导过程中的作用，这种权威在优良组织中更能有效应用。正如我们前面指出的，在学校运行不良的时候，物物交换的领导是行得通的，而当学校已经摆脱了乱糟糟的情况，其基本权能已不具有争端，而且健康的人际环境也已经建立的时候，我们就需要契约式领导，它通过激励人们特别的责任感和业绩，帮助学校超越一般能力而达到卓越。

领导要达到高级的契约式领导的境界，就需要道德权威。正如萨乔万尼所指出的："持续不变的责任感和成绩，需要一种使人们出于道德原因而工作的领导方法，道德原因是从构成学校文化之中心的目的、价值观和准则中涌现出来的。"（Sergiovanni，1990）在某些情况下，我们为自我利益而工作，在另一些情况下，我们因为道德原因而投入工作，这原本无可厚非。但是学校如同家庭、邻里和其他一些注重社会性联结的团体，它更应当倾向于为道德原因而工作，为人们所珍视、所信仰、所应承担的义务而做。即便是在没有个人利益，甚至工作也不是那么有

---

① 叶连祺. 鸟瞰教育领导之丛林［J］. 教育研究月刊（台湾），2004（8）.

趣或令人愉悦的情况下，个体仍能持续投入。

什么是道德权威？用亨特·勒温斯（Hunter Lewis）的价值分析理论比较"世俗权威"与"神圣权威"，能清楚地说明道德权威属于一种"神圣权威"。

世俗权威这一概念是指规章或法定（法规所表述的）的权威，也指科层体制的规则和规章。**神圣权威**是指来自宗教手册的权威、专业或共同体规范、共同目的的权威，以及民主理想或其他理想的权威。法典、规章、规则具有非永恒、客观和非个性化的品质；相比之下，宗教手册、规范和理想更多地是由个人决定的（Lewis，1990）。

很明显，世俗权威通常是经典管理理论探讨得较多的权威类型，行为科学家和组织理论的著述者都比较关注这些方面的问题；而神圣权威通常与信念、价值观、人的感觉经验、情感等相联系。传统领导文献视野所触及的，往往是那些被称为管理技巧的东西，由于它们像医生的处方那样直接起作用，因此可以把它比喻为世俗化的权威。神圣的权威与人的内隐价值相关联，它基于情感的价值体系，更多地信奉感觉经验，但是它常常被忽视，至少在管理学文献中它们没有获得与世俗权威同等的地位，并未被列入管理的学术概念。然而，我们能够否定教育领导实践中那些非理性、情感、直觉、道德等因素吗？实际上，人类的任何行动都存在着道德维，尽管我们可能对此并未有明确的意识。

领导的神圣权威一直没有被主流管理理论所正视，它被称为是非正式（unofficial）的管理价值观。即便得到承认，也被认为是虚妄的、矫情的、被人嘲笑和令人回避的。但是，领导理论如果不重视神圣权威，那么它的知识基础将是贫困的、有缺陷的。特别是在学校，道德权威应当被接纳为认识学校世界的重要方式。领导者要有道德威信，才能把人凝聚起来，使学校从一个组织转化为一个共同体。

（一）道德权威置于核心

按照萨乔万尼对于学校中领导权威来源的分类，领导权威大致有三种。在1992年的《道德领导》一书中分五种权威，后来萨氏将相近的内涵予以合并，即科层权威、人际权威和道德权威，表2-2展示了它们的理论假设，在实践中的领导策略及其给学校带来的结果。

表2-2　领导的权威来源

来源	将本权威来源置于首位的假设	领导或管理的策略	预期结果
科层权威 等级制度的规章与规则 指令 角色期望（教师或遵从规则，或面对不利后果）	• 教师是等级排序中的部属 • 管理者值得信赖，而部属不可信赖 • 管理者与教师的目标、利益不同，因此，管理者必须警觉 • 层级高低等同于专业知识高低，因此管理者拥有更多知识 • 外部的考核最有效	• 要求和检查贯穿于全部工作中 • 教师的行为必须符合规定标准 • 直接监察和严密监督教师工作，保证教师遵从 • 解决如何驱动教师、改变教师	在一定监控之下，教师作为技师，按照既定的框架执行任务，做出应答。他们的表现受到局限
人际权威 激励技术 人际技能 人际关系的领导（教师愿意为了获得良好的同事关系和报酬而遵守规则）	• 尽管管理者的目标、利益与教师不同，但可以通过交易各取所需 • 教师有一定的需求，如果这些需求在工作中得到满足，他们能按要求完成工作 • 良好的同事关系、和谐的人际氛围使教师满意，让他们容易协同工作	• 营造一种使教师之间、教师与管理者之间的融洽气氛 • 期望与奖赏 • 为奖赏而做	教师在有奖赏的情况下愿意按要求去做，但在其他场合不做回应。教师的投入是斤斤计较的，他们的表现受到限制

续表

来源	将本权威来源置于首位的假设	领导或管理的策略	预期结果
道德权威 道义和责任来自宽广共享的价值观、思想和理念（教师因对共同体的承诺以及成员的相互依赖而回应）	• 学校是专业人员的学习共同体 • 由共享的价值观、信念和承诺来给共同体下定义 • 在共同体内部，"什么是对的"与"什么是有效的"同样重要，由情感和信念激发的动机与由自我利益激发的动机同样重要，团队精神是专业人员的一种美德	• 甄别与澄清把学校定义为共同体的价值观和信念 • 把价值观和信念转化为支配行为的不成文的规范 • 将团队精神作为内化了的感受，推动道德的相互依赖 • 依靠共同体成员的能力回应责任和义务 • 依靠共同体非正式的规范系统，强化专业价值观和共同体价值观	教师出于道德的原因而对共同体的价值观做出回应，他们的实践变成集体性的活动，他们的表现得以伸展，而且稳定持久

资料来源：Sergiovanni T J. The Principalship：A Reflective Practice Perspective［M］. Allyn and Bacon，2001：135.

　　科层权威是指来自于官僚主义价值观的、科层体制中的权威。萨乔万尼指出，传统领导强调等级序列，要求教师和学生遵守规则，按照既定的规章办事。在现实中，这种领导是学校工作得以完成的最简单、最直接的办法。但是，如果把这种权威当做中心，就会使教师和学生陷入单调乏味之中，他们如同机器零件，被"去生命化"地对待。

　　对于这种官僚体制的权威，领导学界已经做过很多批判。例如，很少有人会认为教师群体不值得信任，教师不关注学校发展，校长事事都比教师懂得多，等等。形形色色"以人为本"的观点都强调了教师管理要注重其心理因素。于是，人际权威被认为应当加以重点探讨。人际权威包括了领导者的激励技术和人际关系技能。当领导者带着这些"城府"与教师进行交往时，意味着教师与领导者之间是一种交易关系。心理学理论提示领导者要为教师提供奖赏，而教师则要按照领导的意愿表达恰当行为。

需要说明的是，上表中所示的人际权威还包括了"技术理性"的权威，即领导者作为管理专家的权威。由于领导者掌握领导学、管理学方面的科学知识，因此他有理由保持权威，仿佛是说：我在研究方面训练有素，我在做决策时知道什么是最佳的，因此大家要听我的。

但是，这些权威在学校都是不够的。过分地把激励技术和人际技能作为领导权威来源，会给教师和学生带来负面结果。"听我的"思维规则，其背后的假设就是人的自利，教师和校长通过交换需要而相互满足，人由于斤斤计较的理由而工作。由此，萨乔万尼认为，心理技巧和人际技能尽管能激励人们的合作，但不能唤起师生对美好价值观的承诺。尽管科层权威和人际权威是领导工作不可或缺的维度，但仅有这些是不够的，要追求"卓越学校"的境界，就需要道德权威。

领导的道德权威包括了专业权威和道德权威两个维度。专业权威，意味着领导者创设了关于专业知识和技能的价值观，使教师能够响应专业规范，促进教师在没有上级监控的情况下也能因为职业尊严而努力工作。而道德权威，意味着领导权威来源于宽广的共享价值观、理念，对共同体的责任和承诺，教师因为对学校共同体的承诺和与共同体成员的相互依赖而努力工作。

显然，萨乔万尼的道德权威是一种**扩展**了的领导价值结构和权威来源，强调人们出于道德原因而工作，依靠价值观、目标、信念去驱动和鼓舞人们。由于学校具有不同于一般组织的特殊性，因此道德权威的领导显得特别重要。心理权威、科层权威和技术权威固然重要，但它们都是为专业权威、道德权威提供支持，道德权威才是领导实践的首要权威。也就是说，尽管每一种领导权威来源都是必要的、合理的，但是只有道德权威才能反映学校的本质。

[案例 2-7] 　　　　办一所有良知的学校①

当问到中山路小学未来的追求时，薛翠娣校长回答说："我们并不想在全国出什么名，只是想办一所老百姓首选的、有良知的学校。"她似乎没有什么"野心"，既非"冲出江苏，走向全国"，也非"做大做强，集团发展"，但却真实地反映了薛翠娣对教育的理解和追求。

薛翠娣常常对学校的教师说："如今大多数学生都是独生子女，学校办学对于独生子女的家庭来说，1%的不合格率就等于100%的失败啊！这对于任何一个家庭来说都是承受不起的。学校怎能让家庭承受100%的失败呢？教师必须具备强烈的服务意识：你得为所有孩子服务，你得为家长百分之百的期望值负责。假如他的孩子因为我们教师的不尽心、不尽责，而成为'后进生'，家长会多么伤心，会对教师多么失望，会对学校造成多大的负面影响！"

中山路小学的办学宗旨是"为每个孩子的未来积蓄力量"。因此，学校把学生的需要放在首位，学校中任何决策的底线历来都是：对学生来说什么是最好的。薛翠娣对学生的关注是细致入微的，体现了她对学生深切的人文关怀。

为了学生的需要，薛翠娣亲自过问学校作息时间表的调整。学生下课的楼道压力、安全问题等，她都认为是大事。为了孩子的健康成长，中山路小学从2003年起，创办了知心家庭学校，通过书信、亲子活动加强家长和孩子之间的理解与沟通。她还组织教师开展百名教师走访百户家庭活动，旨在架起学校与社会、家庭之间的桥梁。同时她也一直在倾力打造"书香校园"，中山路小学修建了一个目前镇江市最好的小学儿童图书馆。

薛翠娣格外看重教师的素质，她认为要做好教师首先要会做人，然后才是教育教学能力。所以她特别重视师德的培养。她要求教师要强化

---

① 夏川生，等. 实践道德的教育［J］. 江苏教育学院学报：社会科学版，2004（5）.

服务意识，在对待学生的问题上要"蹲得下身，弯得下腰，静得下心"。

中山路小学在教师业务能力培养上是不遗余力的。青年教师组成各种研究小组，学校聘请专家常年指导各小组的教学研究活动，薛翠娣更是经常进课堂听课，帮助、指导青年教师的教学研究。为了让读书支撑教师的灵魂，薛翠娣发起了"教师藏书"等活动，目的是让教师多吸收一些东西，能静下心来教育学生，并通过教师的行为来影响学生。

为了拓展教师的视野，薛翠娣每年不定期地邀请各高校的教育理论专家来校指导科研和教学，还邀请全国各地著名特级教师到中山路小学现场上课。同时，中山路小学扎实细致地进行校本培训，在教师培养方面做了许多工作，目的就是希望教师能实现"6个解放"，即"解放眼睛看形势""解放头脑敢为先""解放双手去开辟""解放嘴巴多质疑""解放空间觅粮食""解放时间寻乐趣"，让教师成为真正的育人者、研究者。近几年，中山路小学的教师迅速成长，涌现出了一大批有一定影响的青年教师。

薛翠娣上任伊始认真思考的一个重要问题就是："是用一个脑袋指挥大家，还是让每一个脑袋来指挥自己？"在管理过程中，她一直在调整做法，以发挥教师的主观能动性。她鼓励教师工作的独立性，给年级组、青年研究小组等充分授权，让他们自己选组长、组合小组成员，并在他们需要的时候予以支持。她尊重教师的多样性，尊重教师之间的差异，想方设法为教师量体裁衣设计舞台，引导他们赢得自信，获得自尊；她积极培育团队精神，引导教师换位思考以增进理解、加强合作，让教师感受到作为一个"中山人"的自豪和责任。一位青年教师深有感触地说："在年终，她会将年级组、学科组等青年研究小组成员召集起来开会，让他们发泄发泄，谈谈自己的苦衷。有时是分散的，但大多是集中的，让他们多交流，促进大家之间的相互理解。"

在教师管理中，薛翠娣以她的人文情怀关爱着教职工，她推行的人性化管理使中山路小学像一个和睦的大家庭，公正、民主、自主。薛翠娣说："校长更多地应该是领导学校，而不是管理学校，校长的职责就是引导。"她反对用条条框框压人，她的做法不是告诉，更不是命令，而是引导教师自己去体会、理解和感悟，因此，教师在工作中就越来越多地有了他们自己的影子。

薛翠娣的为人、教学、管理都有着挥之不去的人文性和道德感。在她的领导下，学校对学生满怀着道德关怀；对家长是理解、信任而亲善的；对教师是尊重、培养的。作为校长，薛翠娣总是以欣赏的目光回应教师每一次新的尝试，并为教师的成长撑起广阔的天空。薛翠娣实际上一直是在引导教师成为自己的领导者，成为学校的真正主人，这样，校长的工作也就自然地退到了幕后，校长成为领导者的领导者。

以"良知学校"的信念引领追随者，更多地运用信任、情感、精神、理想来感召人、鞭策人、激励人，这就是领导道德权威的作用。

（二）明确的办学思路

薛翠娣校长的领导方式是立体的，她不仅自身具有较高的道德素养、专业素质，更为重要的是，她把"办一所有良知的学校""为每个孩子的未来积蓄力量"等理念转化为教职员工的共同信念。但是这些理解还不够，从她的故事中我们还应当悟出一个重要的道理是：中山路小学的成功，是因为它有独特而明确的办学思路。他们认定学生发展是办学的根本，因此对学生有具体细致的关怀；他们确信教师发展是办学的动力，因此不遗余力地进行教师培育。这些做法如果以近期利益来计算，很难看到成效。有人甚至会说，用在"学生关怀"上的精力，难道不能用来狠抓分数，使学校获得更响亮的声誉吗？薛翠娣校长不这么认为，她的办学理念是在对学校深入分析的基础上提出的，中山路小学是一所有50多年办学历史的名校，她要坚持走深度发展、内涵发展的道路。

独特的思路决定了独特的出路。在这样一个多变数、快节奏的时代，每所学校在寻求自身发展道路上都面临着不同的困难，我们太多地听到关于学生不省心、教师水平低、学校条件差、上级不重视等各种抱怨。如果领导者墨守成规、按部就班，把领导仅仅理解为维持日常教学秩序，那么，教学的路子将越走越窄，学校在竞争中也会很快被淘汰。不学习是不行的，我们可以从阅读、观察和模仿别的令人尊敬的领导者那里获得一些有用的技术，但是，教条主义地遵从理论、照搬别人的经验都是行不通的。作为改革第一线的实践者，学校领导必须找到自己的声音，而不能用他人的价值、他人的语言进行领导。他们有责任独辟蹊径，通过实践中的分析、判断、综合，把握适合自己的发展方向。

[案例 2-8]　　　　办学就是办文化[①]

学校是培养人的地方，世人皆知。然而，学校如何办，是通过管制征服学生，以求得所谓教育的权威，还是用文化的方式熏陶学生，用人文的温情滋润学生，以求得教育的亲情，这是截然不同的。两者的区别就在于，前者在一定意义上是办"学堂"，后者是在办教育、办文化。

这样的认识是基于最近对上海市应昌期围棋学校5周年校庆采访所获的心得。一踏入这所以围棋为特色的学校，一股浓郁的文化气息扑面而来。学校处在上海"寸土寸金"的南京路附近，校舍并不大，但这里的文化景象却大大拓展了教育时空。他们把围棋当做教育载体，更当做文化来对待、来发展，光是有关围棋的文化场所，就有中国历代围棋发展史陈列室、中国历代围棋文化绘画廊、围棋名人廊，还有最近刚落成的应昌期围棋陈列室，据说这些在国内同类学校中几乎是独一无二的。对此，校长金维良深有感触地说："围棋的魅力就在于渗透在围棋中的中国民族优秀文化的底蕴，围棋教育是一种教育文化或文化教育，离开了文化的教育和教育的文化，围棋就失去了根基。"因此，学校是从文化的基地出发，将围棋作为培养学生棋艺乃至综合素质之舟，从而

---

① 苏军. 办学就是"办文化"[M]. //苏军专栏原汁原味. 上海：上海三联书店，2006.

驶向教育理想的彼岸。

难能可贵的是，他们并不单打一，除围棋之外，还开展了多种适合学生发展的文化教育活动。这从他们教学大楼一楼至七楼的文化环境布置中可见一斑。一楼爱国主义教育廊、校荣誉室、钢琴沙龙、英语角等；二楼应昌期围棋陈列室、围棋名人廊等；三楼学生绘画展示廊、学生陶艺作品橱窗等；四楼师生摄影作品展示廊、新书园地等；五楼科学、艺术名人廊、学生工艺制作展示橱窗等。走廊文化、室馆文化、墙角文化，在这里十分兴旺，形成气势，把文化请到了家。怪不得一些学生说，到了校园，就像走进了文化的"大观园"。这里的教育环境是"田园式"的，是让学生作为"自助游"自愿浏览的，虽于无声处，但能闻听教育的"惊雷"。

多年来，教育还在简单的知识传授的"天井"里徘徊，将学生培养成高级的应试工具，便是学校的最高追求，升学率也就成为衡量办学水准的唯一指标，这样的教育实际上是在办"考试"，而不是办教育，更不是办文化。因为教育的最终目的，是在追求人的自我完善的同时为社会文明提供动力和源泉，文化在实现人的文明中具有内驱动力作用和陶冶感染的作用。因此，办学要以办"文化"为宗旨，要以文化建设和文明组合的概念和方式来统领教育的全过程。环境布置是一种文化的外延，但绝不是文化的全部。当然，文化的完全实现，需要有环境来衬托。

办学思路的形成是主动发展、自我建构的过程，但它不是凭空就能得来的，好的思路来自于平时知识和经验的积累，也需要领导人有察觉自身优势的敏锐性。无论是本案中的学校领导人，还是我们前面提到的热衷于职业教育的段福生校长、一心想把学校往"共同体"上推的沈新华校长，他们都是在总结自己经验的基础上，根据学校的特殊情况，突破旧的思维框架，寻找一切有利于学校发展的条件，为学校确定了前进方向。

办学思路能否帮助学校突破围城、取得新的发展机遇，是对学校道德领导者的一项重要检验。

（三）为他人做出榜样

我们在调查中听到了形形色色的"丰碑式"的校长的故事，他们无不以品格、责任、对教师的关怀、对学生的爱、对事业的执著而成为人们心中的明灯。翻看那些回忆恩师的作品我们会发现，教师当年传授的知识或许早已淡忘，教师的教学能力到底如何往往也不复记忆，但教师的人格魅力、对学生心灵的启迪、师生的交往、教师的治学态度以及对学生学习方法的指导等，却总会给学生留下深深的记忆。

道德领导思想主张领导者不仅要有明确的理念和思想，而且要利用机会展现、实践其理念，直接参与创造卓越的过程。领导者应该知道，动人的语言是让人们打起精神的基础，但最终能打动人的是我们的行动。喊破嗓子不如做出样子，为他人做出榜样，用行动向人们证明你重视的东西，这是领导者向员工解释理念最有效的方式。

做榜样的必要性在于我们把信念、承诺与行动直接相连。

[案例 2-9]   把自己交给学校[①]

裴先桂是一个特殊的人。人们听了他的故事，无不羡慕他在平凡中取得的成就，为他的敬业精神所感动。一个人，一辈子，痴情的裴校长把自己完全交给了学校。他此生最光荣的使命，就是把一所村小建起、办好，让农村的孩子也能有城市孩子一样的读书条件。

"北京金星小学"是一所村级小学，而且还坐落在比较落后的农村，但却是荆州市唯一一所设在农村的市级示范小学。

学校的每一个角落都渗透着裴校长和其团队的心血、汗水。朴实少言的他一说到学校的事，声音和兴奋度都明显提高。学校的老师说，提

① 选编自程墨，等. 一位乡村校长的痴情［N］. 中国教育报，2006-07-17.

起裴校长，十里八村都叫他"傻"校长。说他"傻"，是因为他扎根偏僻乡村小学40年不挪窝，一次次谢绝县教育局、乡教育组领导的调动好意；说他"傻"，是因为他一次次将本该属于自己填写的民转公、评劳模、评优秀的表格，都让给了其他老师和同事；说他"傻"，是因为他多次拒绝儿子让他去美国定居的邀请，从不为令人艳美的繁华所动，甘当一个"有福不会享的人"！

裴先桂所在的学校，原名三根松小学，"几间破瓦房，孤立山冈上，到处是杂草，遍地是牛桩"曾是学校的真实写照。1998年，长江流域遭遇特大洪水，荆江一带首当其冲，地势低平的三根松小学被大水冲毁。孩子们不仅失去了家园，更失去了学习的场所。

"不能让孩子们没有书念！"就在学校被水冲毁后不久，裴先桂做了一个令人震惊的决定：带领全体老师重建学校。可是，最先面对的大笔资金让所有人犯难。裴先桂却没有畏惧，他跑省城上京城，四处"化缘"筹资。好多次，他提着包子馒头上火车，坐在汽车上啃方便面、吃盒饭，将旅途的酸甜苦辣尝了个遍。"精诚所至，金石为开"，终于争取到北京金星笔厂31.2万元、湖北省民航局5万元、公安县宗教局8万元的资助。这所村小的重建工程也得到了湖北省各级领导的重视与支持。在多方努力下，共筹措到近70万元资金。1998年年底，校舍重建工程破土动工；1999年7月，两栋造型别致的三层教学楼矗立在校园。

裴校长回忆起这段曲折的经历，是"别有一番滋味在心头"。他说："当教学楼建起来的时候，老师和孩子们着实高兴了一把。可是一转眼我又笑不出来了。我当时想到的是：下一步的问题是建学生公寓、多功能综合楼、教工宿舍楼、学生餐饮楼，资金从何而来呢？"一天晚上，裴校长坐下来和老伴商量："咱们可不可以让大儿子拿点钱，帮学校修建学生公寓楼？"老伴听了，半天没有搭腔，后来才说："孩子虽然在美国当教授，但他有三个孩子，家庭负担也不轻呀！"这事不用说，做爹的也都明白，裴校长暂时退却。又一个晚上，裴校长以退为进，给老伴上起了"政治课"："三个伢儿都在美国，全是我们抚养长大，他们应该对我们回报了。我们现在拿国家的工资，吃穿不愁。但学校的建设需要有人帮我解围，儿女们拿出钱捐给学校也是对我们二老的报答呀！"

裴校长的"教育"让老伴主动给儿子打了电话。孝顺的长子在电话中当即说："坚决支持爸爸的义举，我会给学校捐助的！"三年中，裴校长的长子三次为母校捐助了30万元人民币。与此同时，裴先桂还以自己的人格和信誉作担保，向周围大户借款，向银行贷款，多方筹措资金。

每一位老师都坚持认为，学校如此巨大的变化，饱含了裴先桂全身心的巨大付出。他呕心沥血的事实在太多了，一位老师回忆，刚建教学楼的时候，校园围墙还未完工，工地上堆放着很多建筑材料。为防止偷窃，裴校长就和老师们轮换值夜班，睡在工地上。安排班次时，他总是给自己安排深夜班。

北京金星小学的北面有一条通往和平、同兴、公兴三村长达300多米的湖坝路。每当大雨过后，湖水猛涨，湖坝淹没。每次下大雨，裴校长总要亲自带领教师下到没膝的水里，将三个村近100名学生一个一个背过湖，场面相当壮观！但长此以往，毕竟不是万全之策。裴校长又盘算把老伴积攒的5000元私房钱拿出来修路。老伴一听愣住了，片刻后说："老裴，这也是你该管的事吗？"裴校长转弯抹角细谈细讲地做工作，说活了老伴的心，她知道老裴对这所学校和孩子们的感情太深了。第二天一大早，她将存折交到了裴校长手中，另外还将外孙的760元压岁钱也一并搭上。裴校长及家人的行动感动了乡党委政府，感动了三个村的全体干部。政府派人运来300多方石块，完成土方500多方，终于将这条路修好了。那以后，周围的学生再也不用为过这条路犯愁了。

教师罗先金清楚地记得，20世纪80年代的政策是凡连续三年被评为县劳模的民办教师，就可以直接"转公"。而裴校长一次次把评选劳模的机会让了出来，使罗老师早在1986年就转为公办教师。在裴校长主持的这所村小，先后有 16 人转招为公办教师，而他自己却是最后搭上"民转公"末班车的。罗先金老师转正后，先后有几所中学缺语文教师要挖走他，都被他拒绝了。罗先金动情地说："因为裴校长给我的恩惠太深太重，我有良知，所以我决定永远追随他。"

为了这所学校，裴校长整个人都投入了进去，他的每一天"都是学校的"。裴校长从来没有清闲过。就在记者踏进学校时，他还在凉亭向几位青年教师传授教学经验，并就如何备战即将到来的期末考试和老师们展开讨论。裴校长谈工作的时候十分专注，不知不觉就过去了半个小时。

现在，裴先桂主持的学校受到了政府的高度肯定，他本人也获得了省里授予的"农村优秀教师"等许多称号。他有一句掷地有声的话就是："我就是想让乡村的孩子享受到和城里孩子一样的教育！"

我们不用强调领导以身作则的力量有多大，中国有句古谚"以令率人，不若身先"。西方学者的研究也发现：如果希望员工积极投入工作，领导者必须为员工树立榜样，建立高标准，然后把他们信仰的东西落实到实践中。

在学校领导的实践中，我们经常看到许多很正规的学校规章制度严明，奖罚分明，却很难激发出像上述案例中教职员工对裴先桂校长那样的忠心，究其原因，我们发现，许多规章、纪律都是以上控下，如果没有领导者的身先示范，实际是没有用的。如果领导者对自身要求不严格却对部属拼命吆喝，那么声音再高也不会有效果。

和裴校长一样，道德领导者需要在生活中有所行动，他的行动要表达出学校的理念。

3

以文化的力量实现领导

> 文化的力量就在于这样的事实:
> 它作为一系列无意识的、无须细察的、
> 理所当然的假设发挥着作用。
>
> 埃德加·H. 沙因,文化学者

在开始这一章阐述的时候,正赶上我们欢庆春节的日子。留存着中国人独特的文化印记的春节,自古以来就有着兴于情、立于礼、成于乐的寓意。在这个充满着人伦亲情的节日,远方的游子不辞辛苦来到亲人身边,存续着千百年来尊老爱幼的礼俗。志趣相投的人们停下手中的工作聚集在一起,赞扬彼此的努力与成绩,重申心头的信念。

节日的礼俗不仅仅是物质的丰盛,更是文化的丰美。人们表达感激,祝愿明天,不仅满足了情感归属的需求,更使我们有机会增进彼此的凝聚,使我们的事业健康发展。文化是强大的、潜伏的、无意识地存在着的,它决定了我们的行为方式、思维模式,使我们维系在一个共同的价值体系内。文化至关重要,它是我们事业成功的重要元素。

如果说道德领导思想在其根本哲学观上阐发了一种"以价值为本"的领导思想,那么,在方法论上,它则倡导了一种"以文化的力量实现领导"的领导方法。用"文化"来实现领导，说明组织成效应当通过间接、柔性的"文化熏陶"的方法，而不是直接、僵硬的"规则强制"的方法去获得。正如许多富有经验的管理人员告诫我们的：过度管理会伤害人，人不能管、也不必要管，人是应当受尊重、被激发的。道德领导思想主张领导不是行为主义风格或管理技术主义的，它更多的是一种文化表达。只有文化的力量，才能把学生、教师和其他人凝聚在一起，献身学校的共同事业。

[**案例3-1**]　　　　**人应当受尊重、被激励**

达成中学大胆用人，他们愿意提升那些肯钻研、勇于教改的教师，也敢于聘用那些在一般的学校眼里有些缺点的教师。达中校长郑川说："我们寻找那些有专长，能够从经验中吸取教训的人。"在录用新教师的过程中，他们问应聘者："你是怎么看待工作中的困难的？你从中学到了什么？"

以张志文为例，1993年他从著名的北城师范大学毕业，来到了省重点高中惠泽中学，但是他并不顺利。同事们眼里的张志文总有点欠缺，比如他在课堂上只管讲知识，不会管理学生；教学上他搞自己的一套，不太听从学校的整体安排等。在师资力量颇强的惠泽中学做了两年数学教师，张志文在一次教学评价中被校方评定为不合格。从那以后，他情绪更加低落，与校领导的关系也越来越僵。

1996年，张志文带着忧伤离开了惠泽中学，来到二十里以外的达成中学。

那时候，达成中学作为一所农村初级中学师资很薄弱。虽然当时学校的教学业绩已经很不错，但这些业绩主要是老师们的勤业精神带来的。当时达中总体上教学条件较差，科班出身的教师占不了多大比例，更何况像张志文这样的名牌大学师范生。老马校长很快意识到张志文对于学校现有师资水平的提高是有价值的。经过考察，学校领导班子认为这个年轻人不缺乏教育的事业心，他在数学上表现出来的解题水平等是一流的，他的挫折一方面是由于他没有注意到学生的多层次，另一方面也由于他是一个外乡人，加上性格内向，在与其他人的沟通中出现了问题。老马校长指出，学校不能不考虑长远发展，学校终究要走出"鸟枪土炮"的年代，补充像张志文这样有理论水平的人是必要的。

达成中学张开双臂欢迎张志文的到来，给他配备人员，要他全面负责学校准备重点打造的"奥数培训"项目。达中不仅为张志文的数学专长提供了舞台，而且鼓励他尝试新的教法，突破他原来只会教优秀生的狭窄路径。尽管明知在尝试的过程中可能会有曲折，但学校仍充分理解他，给他空间去创造。

现在，达成的初中数学教学全省有名，张志文也早已成为优秀的数学学科带头人。更令人欣喜的是，达成中学的其他学科也都上来了。由于给教师提供充分鼓励，教师钻研教法已经成为学校的一种风气。例如该校物理教研室非常重视课余航模活动，有一名教师已指导多名学生在省级比赛中夺冠，在国家级比赛中获奖。

教育领导理论中，对学校文化力量的关注由来已久。自从威克（Karl，Weick）等人在20世纪70年代提出"学校是松散结合的组织"这一著名论断后，人们注意到学校有相当多的自治权和自由度，教师在课堂上也只是受科层体制的一般控制。但是，另一方面人们又认为，学校的各项计划、行动并不是毫无关联的，一些研究成功学校的文献指出，学校并不全都是松散地结合或构造的（Cohen，1983）。成功的学校"既紧密又松散地结合"，学校实际上是"管理上松散，文化上紧密"的。在学校这个共同体中，人们的价值理念、信仰追求有高度的一致性，但每个人都可以用不同的方式履行责任。成功的学校存在着一种强健的文化和清晰的目的观念，从而为教师的生活确定了意义。以文化为核心，保持组织意义上的结构化与自治，是成功学校的关键原因。

文化鉴别了一所学校不同于另一所学校的一系列关键特征：有些事情无关紧要，而有些事情则必须注重。以上面所说的达成中学为例，学校的领导者一直以来都以营造"教师在尝试中成长"的组织气氛为自豪。有关学校文化特征的问题包括了学校在多大程度上鼓励创新，管理的决策是集中考虑结果（例如以考试成绩为唯一追求的文化），还是在一定程度上强调实现这些结果的过程与手段？文化论的更多观点指出，学校的文化建设需要领导者更多注意学校生活中非正式的、微妙的、符号象征的方面。教师、学生、家长需要回答一些基本问题，如学校是什么？在学校什么是重要的？我们信奉什么？我们为什么以某种方式行事？我们怎样才能独特？我们怎样按照计划行事？等等。对这些问题的回答为学校生活提供了一种秩序，使学校拥有目的、富有含义。

"以文化的力量实现领导"糅合了中西方学者的理论观点，特别是萨乔万尼关于"学校文化力"的观点。缔造学校文化并使其发挥强劲作用是一个多层次的战略系统，在更充分地阐述这个系统前，我们首先要对"文化"的概念做一些解释。

一般认为，文化是指一个组织内部成员共同的价值体系，它使一个组织不同于其他的组织。沙因指出，把文化说成是"我们这里的行事方式""仪式和礼节""组织的气氛""薪酬体系"都还不够，尽管这些东西都是文化的表现方式，但对文化更好的理解是认识到文化存在于各个不同的层次，从非常显而易见到不易察觉的高度默认①。

文化的第一个层次是它的"表象"层，是那些显而易见的组织结构与流程。例如，不同的组织有不一样的做事方式，惠普公司需要遵守大量的规章制度，管理当局对努力、服从性和小心翼翼都给予嘉奖。而奇虎公司的监督较为轻松，他们的许多职员拥有各种奇怪的念头，公司在引入革新产品方面十分成功。在表象层，文化是清晰的，它具有非常直观的情绪感染力。

文化的第二个层次是"表达的价值"，它说明了组织的价值观，解释人们为什么这么做，是战略、目标和哲学的表述。蔡元培领导下的北

---

① 埃德加·H. 沙因. 企业文化生存指南［M］. 郝继涛，译. 北京：机械工业出版社，2004：13－18.

京大学是"兼容并包"的学术取向。在这种价值观下，学者只要有真才实学，能引发学生的研究兴趣，就可以抛开他们的政治见解而被聘用。

文化的第三个层次是"共同默认的解释"，它说明了组织中更深层的思维和感知，是那些视为理所当然的无意识的信念、理解、思维和感觉，是价值观与行为的终极根源，通常要从历史的角度去考察。例如，实达公司是冷静的、正规的、不愿意冒险的，20世纪30年代如此，现在基本还是这样。实达公司吸引了那些喜欢稳定和有秩序的人，并且由于长年的成功运行，新成员也开始理所当然地认为是结构和秩序促进了组织成效。

沙因对文化的分析提示我们在理解文化时，思想不能过于简单。一方面，文化是稳定而难以改变的；另一方面，文化的深层是无形的。深层的文化是组织成员保持和认可的共享的心智模式。由此，当我们提倡以"授权""学习型组织"等新型的价值观来推动组织行为时，要把组织的努力和它运行的环境条件结合起来考虑。环境条件的制约或推动是至关重要的，在一个组织中，文化起作用的程度，即是组织成员在共同默认的价值基础上所阐发的战略与组织环境的匹配程度。

[案例3-2]　　校长和学校文化发生冲突①

霍姆斯小学是美国加利福尼亚排名第三的老学校。它所在的居民点在近30年内衰退了很多，褐色的砖砌建筑物体现了20世纪40年代校舍设计的刻板本性。学校周围的人行道已经裂缝纵横，操场上到处是杂草和废纸，秋千架歪着，所有这一切都说明学校管理人员已经无心维护了。

约翰·拉铁摩尔已在这里当了3年校长。他是个管理老手，曾在这个学区的其他3所小学当过校长。他做了31年教育工作者，其中22年

---

① 改编自 Kowalski T J. 教育管理案例研究 [M]. 庄细荣，译. 北京：高等教育出版社，2006：70-72.

是校长。在霍姆斯小学的校长职位出现空缺之后，拉铁摩尔先生是学区内申请到这里来的唯一的一个在职校长。认识他的管理人员都对他的决定迷惑不解。为什么一个有经验的校长要离开学区内最好的学校，到学区内最差的学校去呢？为什么他要放弃受到钦佩和尊敬的职位，到一个15年内换了6名校长的学校去呢？

拉铁摩尔先生对他为什么有兴趣当霍姆斯小学的校长给出了简单而直接的回答："我已经为迎接新挑战做好了准备。我想，我能够改变霍姆斯。"

对于拉铁摩尔先生来说，在霍姆斯小学的3年过得很快。第一年，他适应了新职位。他约见家长，熟悉学生，努力和学校的教职员建立良好的工作关系。第二年他在规章、条例方面进行了重大变革。特别是修改了学校原来主要依靠体罚和暂令停学来管理学生的纪律处罚制度。开始的时候，他为这些变革寻求教师的支持，但遭到了教职员的反对。大多数人确信，他的想法只会使学校的情况更糟。得知教师们在这些问题上不可能采取合作态度之后，他在没有教师支持的情况下实行了新规章。

新规章在第三年开始生效。这之前，很多教职员已经对拉铁摩尔先生制定适当纪律规章制度的能力失去了信心。现在，在他强行实施他的新规章之后，教师们开始叫他独裁者。一个教师这样总结了她的感觉："确实，他是友好的，对学生是关心的，但他的改革是在错误思想的指导下进行的。到头来，执行纪律不严格一定会弊大于利。我为这些问题和他争论过，但正如我们所看到的那样，我们的意见无关紧要。他到霍姆斯来的时候，我们满怀希望，以为最终有了一个经验丰富、能带领我们走向成功的校长。但实际上却是个祸患。"

随着新规章的实施，教师们对拉铁摩尔先生的不满情绪加深了。他们公开批评校长，并且一致试图赢得家长的支持。11月初，70%的教师和42名家长签署了请愿书，要求地方教育董事会把拉铁摩尔先生从他的职位上撤走。请愿书中这样写道。

两年半以来，我们观察了拉铁摩尔先生的领导风格。虽然他为人友好、体贴、聪明，但他处理学生纪律和留级的方法在本校根本行不通。

霍姆斯小学的儿童大多数来自贫困线以下的家庭。在个人行为方面，很多孩子在校外得到的指导很少，甚至完全没有。即使是学生的家长和监护人，也认识到学校必须担负起维护纪律的主要责任。拉铁摩尔先生自从出任我们的校长以来，削弱了执行纪律的规章制度，禁止使用体罚，阻止暂令学生停学，甚至还鼓励"随班升级制"。

我们不同意他的解决方法。学校不可能成为每个学生的家长、心理工作者、社会工作者和朋友。允许调皮捣蛋、情绪不稳的孩子留在教室里，就剥夺了其他学生的学习机会。

表面上看来，拉铁摩尔先生给了我们参与变革的机会，但实际上，他不能容忍不同的看法，在没有教职员支持的情况下，他修改了一些很重要的规章制度。我们对霍姆斯小学的校长已经丧失了信心。他的才能或许在别的岗位上能够得到更有效的发挥。他是个好人，他的意愿也是好的。但是，他不能有效地领导这所学校。我们要求尽快免去他的校长职务。

这个案例讲到了一个有经验的小学校长，他曾是成功的领导人，来到这所困难重重的学校后，他制定了一系列新的规章，修改了原来主要依靠体罚等来管理学生的规定。这些规章所依据的价值观（不放弃那些处在边缘的孩子）和学校的主流文化不一致。变革的阻力是由于领导人与组织成员认可的心智模式不同引起的，变革的价值观不能为成员共享。而校长真正要使他所信仰的价值观在学校里起作用，就必须考虑环境匹配中的问题。

本章"以文化力量实现领导"突出了学校文化的特殊性，它包括了一所学校由内核向外层扩展的一系列价值观、原则、伦理和愿景：形成核心价值观、建设专业德行、提升工作内在的满足感、发展同行伦理。"价值观体系"是学校文化力的内核，它是一所学校不同于另一所学校的关键特征：在我们这里什么是最重要的？支持我们行动的哲学是什么？专业德行、工作丰富性、同行协作则是从人员素质到工作规范的文化表达，它们可能是无意识地存在的，不管是外露的还是含蓄的，这些方面的成效促进了教职员工自我设置目标、自我管理，在一些优良学校中我们感受到它们的存在。"文化力"的以上四个维度相互渗透、互为补充，深层思维和感知推动着表层行为。

一、形成价值观

"水是有源的，树是有根的"，在所有学校的兴衰与成败中，价值观都是最根本的。当"池塘之底"教养院坚持"贼，不偷东西也是贼"的教育信条的时候，毁灭的种子一早就埋下了；当一所学校充斥着"压力锅文化"，校长眼里只能成功，只重结果，人被轻视，教师的反馈意见根本不被理睬的时候，它迟早要为无序竞争、人心浮动付出代价。

在前面"通过价值进行领导"中，我们阐明了学校道德领导思想的根本观点：价值观念的正确与否决定着学校的成败。道德权威和人文情怀是教育领导者应当具备的重要责任。成功的教育领导者们尽管每个人的事迹都很特别，但他们的行为模式却存在着共性，那就是他们特别注重引领团体内的成员过一种有目的有价值的生活。领导者不仅要专注于个人行为的"道德理由"，而且要能引领组织成员最大限度地响应组织的价值。在研究道德领导的这一课题中我们关注了大量成功学校、正在走向成功的学校和衰弱学校的实例，那些通往成功的价值观基石及其推进策略给我们以重要的启示。

（一）澄清核心价值观

价值观层次的分析指出，许多组织在确立价值观时思维混乱。有些员工认为诚信是他们的价值观，有些员工认为时尚是他们的价值观，等等。很多情况下，人们把其他类型的价值观认为是核心价值观，由此产生"大杂烩"，使员工摸不着头脑，使管理不着边际。因此，应当对核心价值观做一些基本界定。核心价值观是组织行为根深蒂固的指导原则，科林斯和波拉斯的简洁定义是：核心价值观是固有的、不容亵渎的，是不能为了一时方便或短期利益而让步的（王吉鹏，2004）。

与核心价值观相对应的是目标价值观。当某所学校因为不断变化的行业需求而发展一种新的战略，可能需要新的目标价值观的支持。目标价值观并不像核心价值观那样具有长久保存的意义。例如，一所百年老校的核心理念中，"保持教师队伍的优良素质，永为先驱"是恒久不变的价值观，但在一所新校的创办中管理层感到有必要把"奉献精神"补充为目标价值观。

在成功学校的骨子里我们总能找到价值观体系的优良因子。尽管每所学校的文化各有特色，任何一所学校在它特殊的历史传统中，在文化的筛选和发展中都会形成自己独特的信仰、意识形态，产生一系列思想观念、共同目标、规范制度，但是核心价值观的"优良因子"却也存在着某些共性。

1. 教育领导者的道德承担

以道德责任感为导向应是教育领导者最关键的特质，学校引以为豪的是它关注价值理念的做事方法，并由此对社会产生影响。不论社会如何变化，我们希望学校在千百年之后仍然可以作为道德承担的典范。

[案例 3 - 3]　　**教育董事会成员的不同意见**[①]

里士满学区绝大部分是农村地区，学区内有 2 所高中、5 所初中和 10 所小学。地方教育董事会的 7 名成员按地理区域指定名额选举产生，主席约翰·莫休尔先生已任职 6 年，其他成员如艾尔默·霍德森先生在董事会已 10 年，比其他任何一名成员的任期都长。霍德森很有影响，他始终把自己看做是学区内两个农村镇的政治代表。

[①] 改编自 Kowalski T J. 教育管理案例研究 [M]. 庄细荣，译. 北京：高等教育出版社，2006：149 - 153.

　　教育局长马修·卡曼任该学区的教育局长已3年，他了解学区内董事会和教育局的关系，并非常努力地处理好这一关系。

　　11月的一天，卡曼先生来到约翰的农场，想和他讨论一个棘手的问题。

　　"两天前，北里士满一位高中校长鲍勃·戴利接到了他的一位朋友——州高中体育协会助理会长的电话，问他是否认识艾尔默·霍德森，并说艾尔默正坐在他办公室的外间，要控告北里士满高中的橄榄球教练耶茨。"

　　原来，艾尔默声称该教练和学校违反了州体育协会的规则，因为他们允许学校橄榄球队的第一四分卫继续留在学校，而他的父母已不住在这个学区。事实上，那个学生杰布现在正和耶茨教练住在一起。艾尔默坚持要体育协会对北里士满高中、耶茨教练和校长采取措施，至少要宣布取消那个学生的参赛资格。

　　"艾尔默的指控有法律依据吗？"约翰·莫休尔问。

　　局长回答说：学生杰布现在确实住在耶茨教练家里，杰布的父母今年6月搬到了科罗拉多。杰布和耶茨教练很亲密，所以他征得父母的意见在北里士满读完高中的最后一年，这一年他将和耶茨教练住在一起。

　　"体育协会的规则允许这样的安排吗？"

　　"显然是允许的，"局长答道，"教练已经请北里士满高中的体育主任帮忙申请体育协会官员的裁定。体育主任收到了州体育协会会长的信，说只要杰布的父母和学校的校长同意这种安排，他就可以在北里士满读完最后一年，而且不影响他的参赛资格。戴利校长和他的父母都不反对孩子留在这儿继续打橄榄球。"

　　"这样的话，从法律角度看，艾尔默的控告实际上不成立呀？"

　　"关键问题在后面。在州橄榄球联赛之前的一个星期，北里士满的战绩是九比一，是地区内最有希望赢得冠军的球队之一。杰布是队里的球星，他甚至可能在联赛结束时成为全州的球星。你知道接替他的预备队员是谁吗？第二四分卫是一个四年级学生，罗恩·霍德森。"

　　两人对视着，约翰笑了。局长继续说："你明白了，约翰。第二四分卫不是别人，正是艾尔默·霍德森的孙子。清楚了吧？艾尔默有个人打算，他感到杰布阻碍了他的孙子当第一四分卫。现在这个队获得成功了，而且即将参加州冠军的夺标决赛，艾尔默希望他的孙子进入这个'亮点'。但是，戴利校长告诉我，艾尔默的孙子在这件事情上可能是无辜的。他是个好孩子，校长认为，如果他知道了他祖父的所作所为，可能会感到难为情。"

　　"马修，我提个建议。咱们忘了这件事吧。艾尔默就是艾尔默。他一直令人讨厌。"

　　局长的看法不同。"最低限度，我们应该让别的董事会成员知道这件事情。我认为艾尔默应该受到谴责，他做的事情明显的不道德。或许，现在该是对他说'够了'的时候了。"

　　教育领导者承担着道德义务，其中包括不能利用职务牟取私利和干涉学校管理事务。作为董事会成员，艾尔默做的事明显不道德。教育局长也处在两难境地，一方面他必须有所作为，尽一个有职业道德的领导者的责任；另一方面他又需要与董事会成员保持"好关系"，他要在这之间作出选择。

　　其实，学校经常会陷入"道德的陷阱"，就像那些被异化了的"教学评估"，那些为了短时利益而"数字化""窗口化"了的做法。当我们重新审视霍华德先生在学生理事会为筹措资金而试图举办的"奴隶拍卖活动"事件中对价值观的坚持和引导时，我们会为学校有这样理念正确的领导者而感到欣慰，这才是令人尊敬的领导人，平等和尊重是人类文明的普适价值，哪怕某些时候坚持正确的价值观是吃力不讨好的苦差事。

　　2. 永不放松的质量观念
　　成功的学校在任何时候都把质量观念放在首位。实际上，自20世纪 80 年代起，教育的发展就呈现出以质量追求取代数量扩张的趋势。老百姓已不仅仅满足于未来一代"能受到教育就行"，高质量的教育已成为社会最紧缺的资源之一。人头攒动的"择校"现象、公众对学校的热切关心乃至负面评价，都在某种程度上折射出质量问题是学校办学的生命。

[案例 3-4]　　　　　　　**保持持续的质量优势**①

　　在斯坦福大学的办学理念中，他们始终认为学校成功的第一因素是在教学与科研中"追求一流"，而不只是满足于"一般的训练"。卡斯帕尔校长认为，学校应当持续地专注于改善自己的品质，尽管这是一项十分艰难的工作，但学校必须以追求完美的理想为前提。他为"世界上有太多的大学似乎已经放弃了追求完美的理想"而感到遗憾。

　　为了保持持续的质量优势，斯坦福大学主张控制研究型大学的学生数量，因为一个人口负担过重的十分拥挤的大学，既会削弱对那些有天分的学生的吸引力和对他们卓越潜能的开发培养，也会忽视对那些天赋平常的学生提供必要的训练。在卡斯帕尔看来，一所大学如果超负荷运行，"追求卓越"的文化是不可能培植起来的。强烈的质量意识，使斯坦福大学这个以研究生教育为主的大学的规模始终控制在 2 万学生以内。

　　在当前教育改革的浪潮下，一些学校盲目追求规模增长，以致发展后劲不足，严重影响了教育教学质量。鉴于此，学校应当分析自己的优长，控制规模、适度发展、走内涵发展的精品化道路，通过做精做强，充分运用有限资源来提高教育教学质量。

　　就质量观念而言，每所学校都有自己的"定位"学校的发展和人的发展一样，好高骛远、妄自菲薄都是找不到出路的，问题的关键是要

---

① 改编自杨永昌. 名校长的高绩效领导力[M]. 北京：九州出版社，2006：167.

建立一种适合自身特点的、永不满足、争取最好的机制。以我们前文所述的北京市昌平职业学校为例，它们的质量观念就是要创设一流的"中等职业学校"，从校长到全体教师始终有着"争取更好"的目标和信念：明天要做得比今天更好。在这样的学校里，不断改善、追求卓越是制度化的习惯，是一种有纪律的生活方式。

3. 爱护学校里的人

对于从事教育工作的人来说，"爱"是恒久不变的价值观。优秀的学校领导者是"感情移入式"的，他们懂得沟通，对教职员的需求敏感。他们从不回避、畏惧处理棘手的问题，也从来都不会为了某些政治原因而放弃学校里的人，不论是教师还是孩子，领导者是他们的守护人，是他们在碰到危机或不良待遇时心灵上的依附。坚持道德领导风格的领导者愿意花很多时间帮助遭遇困难的学生和教师。

[案例 3 - 5]　　　　　感觉微不足道的教师

一所资深老校，得益于社会资源的长期关照，近几年学校又有了大发展，现代化的设施十分齐全，对外活动日趋频繁，教学业绩也保持在前位，学校呈现出一派欣欣向荣的景象，校长也成为社会上炙手可热的人士。每年在新教师招聘中，这所学校总能吸引素质最好的师范毕业生。

但是，后来发生的一件事使大家很愤怒。大学毕业来校不久的杨老师被人打了，躺在医院里，多处骨折。事情是这样的，那天杨老师值班，巡视学生宿舍时，发现几名学生违反校规溜出校门，被杨老志喝止住，谁知其中齐魁的爸爸是当地非常有影响的人物，有很深的背景。这个学生是赫赫有名的"霸王"学生，根本不把老师放在眼里。杨老师在和学生的争执间发生了拉扯，但学生并未受到伤害。

第二天这个学生家长纠集人，在校门口暴打杨老师。

大家都看在眼里。学校会怎么处理这件事呢？杨老师躺在医院里，校长始终没有露面，还派人与杨老师商量，"要点补偿算了"，因为"把事情搞大了，对学校影响不好。"

　　这所学校虽然是"成功"的，但却把学校里的"人"抛在脑后。在现任领导者眼里，教师是微不足道的，而社会资源是不可或缺的。这种对恶势力唯唯诺诺的心态最终只能导致人心涣散、学生的价值观发生扭曲。

　　不爱惜教师的文化能保持学校长期高效运转吗？答案显然是否定的。从上面案例中可以推测，以类似的手法对待教师，他们最终会心灰意冷，进而威胁到学校的生存。一所好学校绝对不是"个人英雄"式的领导一个人能办成的。退一步说，即使上例中杨老师作为一名年轻教师管理方法不够成熟，作为校长也应当以领导者的身份加以提示引导，而不能不闻不问。校长肩负着培养年轻人的使命，他的一言一行都代表着学校的价值取向。当他回避那些"有势力"的家长的挑衅时，孩子们又会怎么想呢？

　　综观成功学校的领导者，虽然他们与教师的关系不尽相同，但都表现出形式各异的"紧密"。如不苟言笑的学者型校长，可能会对下属很严格，要求他们业务精湛、有追求，并会亲自带领教师搞科研，培养年轻人成为教学、科研骨干；而情感型的校长可能会对教师充满了亲人般的关怀，老教师的家庭困难，年轻教师的升职称、找对象等问题，都会倾注非同一般的关心。

　　"爱护学校里的人"更包括对我们的服务对象——学生的尽心尽责。我们在对农村学校的调查中不止一次地听到这些动人的故事：一名学习成绩优秀的农家子弟因为贫穷而不得不辍学，他的老师千方百计动员各种力量让孩子回到课堂。很多乡村教师把学生当成自己的孩子，不让他们因为没有受到教育而遗憾一生。

　　每所学校都要根据自己的历史积淀、员工特点和环境形态提炼核心价值观，这是学校文化最核心的部分。核心价值观既不会凝定不变，也不会轻易改变。就学校而言，核心价值观是学校长盛不衰的根本信条，优良学校应当以核心价值观驱动，而不是单一地以"行政指令"或"短时利益"驱动。同时应当指出的是，尽管我们不能把核心价值观与适合一时发展之需的战略、作业、政策等混为一谈，但核心价值观也要有足够的灵敏度去反映时代新理念的要求。下面是美国北卡罗来纳州一个非营利性的教育机构"格林斯波罗创造性领导中心"核心价值观的示例。

[案例 3-6]　　　　　我们的价值观①

我们的工作应当服务于社会

我们期望我们的工作能给天底下的领导质量带来变化。为了这个目的，我们尽力去发现做什么是最重要的，并为最重大和最持久的利益而集中使用我们的资源。在开展这方面的工作时，我们始终牢记所有人的固有价值，我们认为，我们有责任关注女性领导者或身为少数民族团体一员的领导者的需要。

为了给世界带来变化，为了将思想付诸实践，我们必须做我们领域中的开拓者、知识的贡献者、解决问题的创造者、思想理念的开采者以及代表社会的风险承担者。

我们的使命和我们的当事人应受到我们最好的（服务）

我们期望我们提供给当事人的服务是有价值的、强有力的、充满睿智的、服务周到的和可以信赖的。在追求我们的使命方面，我们意在成为一个拥有圆满完成工作所需要的财政和精神资源的、健康而有创造性的组织。

我们要求自己遵循最高的专业标准，并且超越专业准则的字面意义，了解文字背后的精神。这包括坦率而正直地对待每个当事人和项目的参与者、审慎地守护个人和组织的敏感机密信息、向预期的当事人诚

---

① 萨乔万尼. 道德领导：抵及学校改善的核心 [M]. 冯大鸣，译. 上海：上海教育出版社，2002：179-180.

实地描述我们的能力。

我们的组织应当是一个良好的工作场所

为了让我们做得最好，为了吸引、激励并保持最好的人员，我们相信，我们必须形成一种支持创新、实验、承担适当风险的环境。

作为一个组织，我们应当珍视每一个员工创造性的参与。我们应当欢迎公开的思想交流并培养认真倾听的行为。对于每一个在此工作的人，我们有责任积极促进个人的健康幸福以及专业发展。有鉴于此，我们应当充分重视必须使每一个人不断作出持久而较大贡献的权力和责任。我们应当精细而始终如一地贯彻我们的政策。

我们应当在工作中相互尊重

我们意识到每一个在此工作的人的互动性。我们期望我们之间相互尊重、坦诚、友善相待，并意识到协作的重要性。我们应当在员工中培养一种服务的精神，以便更好地服务于全世界。

（二）价值观的传播和推进

以价值观为核心的学校文化在现代学校中发挥着越来越重要的作用，然而仅仅确定一套价值观体系是不够的，价值观还需要通过战略、制度、权责体系等加以巩固。价值观体系要在学校中生根，需要沟通、传播、加深的过程。如果价值观只是停留在口头和文字的说教上，是不能为全体师生接受的。行为更重要，从根本上说，学校文化要通过每天的决策、大多数师生的做事方式来形成。

1. 象征性的行为

根据国外学者对学校领导"象征力"的分析，"象征力"和"文化力"正是教育领导不同于一般领导而更应具备的能力。"象征性领导是首领（Chief）的角色假设。领导者选择性地将注意力转向那些重要的目标和行为模式"（Sergiovanni，1984）。在这个意义上，领导是一位能吸引下属注意力的表演艺术家，他通过象征性的行为让大家集中关注学校文化的价值观体系。

象征性领导行为阐明了学校本质的、关键的文化因素，使学校活动与人性紧密相连。象征性行为包括在学校考察、到教室巡视、与学生在一起、主持仪式、出现在某些重要场合等。这些行为提供了一个整体形象，让人们目睹管理的着重点在哪些方面。象征性领导关注的是学校目的，领导的一系列活动是与组织目的有关的协议、承诺。通过象征性行为，学生和教师理解什么对学校最重要，并由此获得命令感和方向感。

[案例 3 - 7]　　　绝食 32 天悼念 32 名受害者①

美国弗吉尼亚理工大学枪击案凶手被证实是韩国裔学生赵承熙后，韩国政府十分重视。在疑犯确认之前，韩国总统卢武铉就对遇难者表示了深切哀悼。疑犯身份确认后，卢武铉再次受到"无法形容的冲击"，并"深感痛苦"，当天即通过驻美大使馆向美国总统布什致电，表示慰问。

韩国驻美国大使李泰植提议绝食 32 天，以此分担遇难者家属和美国社会的悲痛。李泰植 17 日晚出席了在费尔非克斯郡办公楼举行的追悼仪式。他强调说："以此次事故为契机，韩人社会应该进行自我反省和忏悔，并创造重新融入美国主流社会的机会。"

他提议以韩人教会为中心，轮流绝食 32 天，与会者都同意了这一提议。当天的礼拜由华盛顿地区教会协会和地区韩人会联合主办，800 多名基督教信徒参加了该集会。

有分析称，李泰植之所以提议轮流绝食 32 天，是因为赵承熙枪杀了 32 人，希望根据遇难者人数进行绝食和祈福。

大使提议的活动表达了韩国人在这起校园枪击案上的正确态度，他们没有盲目推卸责任、指责别人，而是勇于检讨自己——尽管凶手与民

---

① 亮亮. 韩国驻美大使提议绝食 32 天悼念 32 名受害者（中国日报特稿）［N/OL］.［2007 - 04 - 19］. http：//www. sina. com. cn.

族、与国家无关。大使提议的活动也是有象征意义的，对受害方的人道主义态度，具有"普世价值观"的意义。而作为政府倡导这些行为，也会影响到一个国家道德价值的肯定。

象征性领导不怎么关注领导风格，他们强调领导的立场、价值观、与人们的交往。象征性领导意在激发人的内省意识，使某些事情意味深长，使学校各个角色的活动富有意义，正是这种意义感把人们聚集在共同的事业中，从而使管理富有成效。

2. 理念故事化

价值观的理念往往比较抽象，因此，如果能通过生动活泼的故事和寓言阐述价值观，并加以有效宣传会有比较好的效果。事实证明，人类的推理过程在很大程度上借助于感性的故事，而非大量数据资料。例如，我们通过讲述"煮青蛙"的故事来提示我们的成员要有危机意识：把一只青蛙放进沸水中，它会立刻试着跳出。但是如果把青蛙放进温水中，只要不去惊吓它，它会待着不动。此时慢慢加温，青蛙会若无其事。随着温度慢慢上升，青蛙变得愈来愈虚弱，最后无法动弹。

不管事实是否如此，煮青蛙的故事是为了告诉人们，看似偶然的结果，实际是长期存在的隐患导致的。

同时，在学校文化的长期建设过程中，还要注意从维护价值理念出发推举先进人物，通过故事、范例的形式对先进人物的事迹加以宣传，让教职员工知道为什么他们是先进，他们做的什么事符合了学校的价值观。榜样的力量使文化推广变得具体生动。

3. 长期的坚守

要使核心价值观为全体师生所理解、认同和接受不是一朝一夕的事，长期守护价值观，才能保证人们的行为和价值观融合，这需要坚忍不拔的毅力。价值观的塑造和形成是一件十分费力的苦差事，需要花费大量的时间和精力，不可能一蹴而就，正是在这个意义上，阐明价值观并使之有生命力是卓越领导者的标志。

首先，领导者所处的地位决定了他在价值观的形成和推进中起着非常重要的作用，领导者的表率是一种无声的号召，对员工有重要的示范作用。

其次，价值观不是孤立的，而应该通过教学、管理、各种权责体系不断体现并持续强化。例如，在学校中可以适当利用"提升""晋级"等管理工具。提升什么样的员工，是组织关注什么最明确的信号，通过提升，人们知道组织最倾向的价值标准及其优先顺序。当然，同时也要防止管理工具被滥用，因为过度使用"提升"规则，容易陷入"交易式领导"的泥沼。

综上所述，在形成价值观的过程中要牢记我们不是在创造"新"的价值观，而是把与学校发展和教师共同意愿不符的因素剔除掉，将有利于学校发展的价值观提炼出来并加以传播，使之稳固。在建立新的价值观体系时我们应当遵循两条原则。

✦尊重现实，尊重学校历史和意识形态的现状。

✦超越现实，审时度势运用现代理念进行理想主义的改造。

价值观是学校文化建设最核心的部分。由于对价值理念的承诺，学校里的师生即使是在某位领导者调离之后，仍然能够在价值观的作用下履行责任。也就是说，学校全体师生追随的是价值观的愿景而不是领导者个人，这就使层级体系中的"领导"角色变得不那么必要。当核心价值观深深植根于学校系统时，人们对它的承诺就替代了传统意义上的领导。

二、建设专业德行

在学校中，教师的"专业德行"是一种强盛的、作用巨大的文化力量。专业德行、职业操守可以在很大程度上"替代领导"，因为教学工作带有部分"专业化"特性。

　　教育从业人员通常希望教学、管理和评价成为一种基于科学训练的专业的行业，一种可与临床医生和职业律师相提并论的、需要特殊训练的专业。教师的专业化程度究竟如何？这也是各国学者长期讨论的问题。关于教师专业化的观点认为，现代教师职业要求从业者具有较高的专业知识、技能和修养。从专业职业的特征来看，教师职业离成熟专业的标准还有一定差距，教师职业是一个"形成中的专业"，教师专业化需要一个不断深化的过程。

　　在教师专业化进程中，对教师职业的专业地位和权利的追求转向教师的专业发展。人们认识到，只有不断提高教师的专业水平，才能使教学工作成为受人尊敬的、具有较高社会地位的一种专业。20世纪80年代以来，教师的专业发展成为教师专业化的方向和主题，其间出现了多种不同的观点，例如，1986年美国卡内基教育和经济论坛工作小组在题为《国家为培养21世纪的教师做准备》的报告中呼吁：创立全国教师专业标准委员会，高标准地确定教师应该懂得什么，应该会做什么；改变教师队伍结构，使能力强的教师形成领导骨干，在促进全体教师专业发展方面发挥积极的带头作用，等等[1]。

　　一般地说，对于教师专业水平的强调注意到的都只是"能力"方面的问题，如所教学科的学术水平、教育科学的专业素养、高标准的备课和讲课要求之类，它们指出了教学工作需要独特的知识和技术，需要遵循一定的职业标准。但是，文化论的推崇者更强调教学专业的价值意识水平，例如，萨乔万尼认为，具有专业含义的教学工作应重视两个维度：能力（competence）和德行（virtue）。"专业主义"远不只是技能服务，它还应当包括专业人员的"德行"因素。专家有权威也是因为人们信赖他们拥有德行。他写道：

　　专业主义的维度有两边：能力和德行。加强能力这一边历来是公认

　　① 中小学教师专业化学习研究网. 教师专业化研究综述〔DB/OL〕.〔2007 - 01 - 16〕. http：//www.jszyh.com/xuexi/ShowArticle.asp? ArticleID = 565.

的，而学校领导者在广阔的背景下，在改善能力这一边下工夫的同时，可以在加强德行方面做许多工作。加强德行意味着为实践工作建立一个道德基础①。

"专业德行"被认为是"替代领导"的重要因素，正如其他许多专业性组织，工作人员以专业人士的标准要求自己，最终降低了官僚式的领导的必要性。因为专业人士获得承认，主要依赖专长、专业同伴或学院式的维护，等等。

促进教师的专业德行包括了如下原则性的建议，这是从"职业伦理"的角度营造教师管理的文化。

（一）专业发展

这一原则意味着学校领导者要推动教师紧跟专业发展、研究自身实践、试验新的方法、与成员共享感悟和观察，促进教师站在教育教学的前沿开展实践。

以信息技术的影响为例，现代教师常会遇到这样的情况：教师费尽心机搜集的课外资料，学生早已预先通晓，甚至了解得比老师还多。信息技术改变了信息资源的社会分布形态，造成信息的多源性、易得性、可选性，这也导致了教与学之间关系的改变，引起教育者权威性的削弱，迫使教育模式走向民主，也迫使教育者更多地使用信息技术进行自我强化②。

这种情况下，教师的专业技能糅合了信息时代的多种技能要素，不仅包括教师自我反思和发展能力、教育教学研究能力、教学设计和教学监控能力，还包括合理运用现代教育技术的能力、与学生有效沟通的能

---

① 萨乔万尼. 道德领导：抵及学校改善的核心 ［M］. 冯大鸣，译. 上海：上海教育出版社，2002：63.

② 佚名. 信息时代的教师专业化 ［DB/OL］. ［2006 – 06 – 28］. http：//www. 910dh. com/article/3/110/2006/20060628473. html.

力、教学资源应用开发的能力、教育教学评价能力，等等。正是这些方面能力的不断提升，推动了教师职业逐步成为具备一定专业标准的职业。

[案例 3 - 8]　　促进教学活动的自我反思

广州市花都区新华第四小学在促进教师的自我反思上狠下工夫，他们认为教学中的自我反思是教师自我发展的自觉性和敬业精神的集中体现，是教师实现同新课程一起成长的重要途径。教师只有不断研究新情况、新环境、新问题，并不断地反思自己的教学行为，才能不断适应、促进新课程改革，使新课程有效地展开。

学校组织教师积极开展"教学反思"实践试验活动，由领导和骨干教师上试验课，然后自述教学反思，再由听课教师评议，甚至采访学生和家长的反馈意见，使课堂教学的评价从过去单向的专家评价或听课者评价变为多向的立体性评价。更重要的是执教者本身，通过课后反思，总结经验或教训，促进了自身的教学发展，突出了评价的导向作用。在开展"教学反思"活动一段时间后，让教师进行小结，并推选交流代表，评出"教学反思"优秀案例，有时还组织教师观看案例录像重现分析等。最后把全体教师的"教学反思"汇集精选编辑成为《教学反思录》，作为教师课堂教学评价研究的成果之一。

伴随着"教学反思"活动的逐渐深入，教师也走过了挑战自我、超越自我的过程。坚持"教学反思"活动，不仅能使教师直观、具体地总结教学中的长处，发现问题，找出原因及解决问题的办法，再次研究教材和学生，优化教学方法和手段，丰富自己的教学经验，而且是将实践经验系统化、理论化的过程，有利于提高教学水平，使教师的认识上升到一个新的理论高度。

新华第四小学精心打造"教师教学中的反思"，营造教师对自己的专业发展负责的文化，改变了需要有一个领导者帮助他们去计划和实现职业理想的现状。教师塑造自身专业形象的强烈信念，使他们不怎么需要外力来管理。由此，教师的形象不仅仅是中国传统的"园丁""春蚕"之类强调奉献的道德楷模，而且具有了更多的专业色彩。

（二）"关怀伦理"

工作场所中的人们往往过分偏重"工作伦理"，关注的是有所作为，加快目标的实现。而在学校中承认"关怀伦理"，意味着领导的焦点从对具体工作目标的重视转化为对学生身心的重视。萨乔万尼指出，出于职业和技术的要求，教师在平时教学中经常以"处理"（treat）方式对待学生，这种对待是没有任何感情色彩的，它并不着眼于为学生"服务"（serve），而关怀伦理则要求为学生的学习和全面发展服务。

[案例 3 - 9]   老师当"说客"劝学生弃考[①]

离中考还有两个多月，许多考生都在紧张备考。可在部分中学校园里，不少毕业班班主任却致力于游说成绩排名靠后的考生直接去上职专。许多学生及家长非常反感，他们认为老师的做法，除了想保住高升学率外，就是为了拿提成，唯独没有考虑学生的理想和前途。

然的成绩排在班级 20 名以后。这学期一开学，他就三天两头儿被老师叫去做"思想工作"，主要是让他不要参加中考，放弃考高中的念头，直接选择上职专。然对班主任的"强劝"很不满："考什么学校是我个人的事情，老师这样做侵犯了我的受教育权！"

据了解，某校初三共两个班，第二学期开学时进行了一次测验，成绩在班级前 20 名的学生可以安心学习，参加 6 月下旬举行的统一中招考试。排名在后 20 名的学生，则经常被老师叫去"谈话"，但不是被鼓励好好复习，而是被要求去上职专。不少学生反映，老师怕影响升学率是一方面，另外中专或职专给初中老师好处费，让老师帮忙做毕业生

---

① 改编自刘瑞红，高宁. 老师当"说客"劝学生弃考　为提成竟不顾其前途 [N/OL]. [2007 - 04 - 20]. 新华网河南频道东方今报报道.

的思想工作，这早已是公开的秘密。

几位教师说，个别学生明显考不上高中，劝他们上职专只是一个建议，并未强制。但当记者在某职业中专招生办查访时，有工作人员说：送一个学生教师有提成。

这一案例中，尽管教师认为建议成绩较差的学生上职专是教育分流的善愿，并没有多少不妥，但是当他们的建议变成"力劝"，且与"升学率""提成"等功利性因素混合时，引发学生的怀疑、愤怒是必然的。尽管职校的招生数字短期内可能增长，但他们损失的是信誉，失信是衰败的开始。作为那些初级中学的校长和教师，有必要引入"关怀的伦理"。教师与学生间更多的应是一种情感关系，例如，在涉及升学选择等有关前程的问题上，教师能以对待自己的子女、姊妹那样的"爱心"对待学生吗？如果能让学生体会到教师的"爱心"，那么他们提供的比较明智的建议最终还是能被学生和家长接受。

（三）行事考虑社会价值

库姆斯（Arthur W. Combs）比较了学校领导工作的宽广目的，他指出，如果校长对学校的目的持有狭隘的看法，他会认为只有评估知识内容和技能才有意义。这种领导相信孩子上学是为了学习技能和在成人控制的课堂里接受成人化的内容。教师是信息的传播者；学生是信息的接收者。反之，如果校长认为学校的目的是为了培养健康、知识渊博并懂得自我调控的学生，那么评估基本技能就只是测试成就的方法之一（库姆斯，2002：181）。

基本知识和技能固然重要，但在一所有宽广目的的学校里，它们只是教育责任的一部分，是完整的学习经验的一部分。在这样的学校里，学生的其他"成就"同样重要：在服务性活动中对他人的奉献，对自己做事目的与目标的认识，制订计划并执行计划的能力，团队工作的能力，自我指导学习活动并检测自己的能力，等等。由此，教师应突破仅仅关注"预期的考分",而担负起宽广的教育责任,做有利于社会价值的事,把自己放在服务于学生、家长以及学校目标的位置上。

在考虑"社会价值"的行事原则下,学校不是为了权威部门的某些规定而被迫做事(例如在统一格式的要求下安排一些形式主义的活动),学校开展的一些活动是对社会价值的承诺,而不是例行公事式。活动并不是目的,活动的开展是为了营造教导孩子的机会。一项社会事件的深入调查、去田里拾麦穗、祭扫烈士墓、到社区做义工、与贫困地区孩子手拉手等各种活动,都可以提供培养孩子同情心、敬仰感、掌握计划及负责任的能力。

行事考虑社会价值要求教育者承担道德使命,例如我们第二章中提到的霍华德先生在"奴隶拍卖活动"中的坚持。

(四)关心教学工作本身

"专业德行"中最为关键的部分是对"教学活动本身"的承诺,这意味着教师的教学工作伦理感。教师在工作中是关注"教学本身"还是关注"我的教学",两者是有区别的,关心教学活动本身意味着教学需要从个体实践转化为群体实践。不仅关心"我个人"的教学,更要关心教学作为一种专业的发展。只有认识到教学是一种群体实践,有能力的教师才会帮助其他有困难的教师;有精深领悟力的教师才愿意与他人分享他的领悟。教师会认识到,如果他的课堂很成功而整个学校的教学不成功,那也是不足取的。

在后面关于"同行伦理"的阐述中,我们要进一步探讨这些内容,正如萨乔万尼所说的,学校一旦建立起专业理想,人们就再也不会接纳一个富有教学能力而对遇到困难的同事不予帮助的人。

三、提升工作内在满意度

在形形色色的学校案例中,我们见过这样的情况:有些学校有完整的愿景描绘、文化建设规范、形象识别系统，却无法使这些东西在行为上有真实的反映。其实，规范的制度文化、价值观体系都只是学校文化建设的第一步，价值观要为全体师生所接受，还需要一个价值内化的过程。这不仅需要规划适合学校发展的愿景，还需要倡导一种相互依赖的环境，夯实价值观基础，促进人们对愿景认同和献身，形成集体凝聚力。

上面我们讨论了学校文化建设中人员的素质准备，强调要在学校中培植教师的专业德行——一种职业伦理。这里我们讨论道德领导思想体系下学校文化氛围的营造：创造充溢的工作状态，提升教学工作的内在满足感。

（一）充溢的工作状态

令人满意的工作体验、工作本身的成就感是道德领导很重要的激励资源之一。这需要追溯到关于人类工作动机的分析，美好的东西使人去做——这固然是值得重视的动机规则，然而，正在得到的奖赏使人去做——同样是还没有被充分挖掘的激励资源。赫兹伯格著名的激励—保健理论为我们阐明了人会受到工作本身带来的愉悦感的驱动。在学校环境下，工作本身的挑战性、趣味性、认同感等因素，都能成为动机的源泉，使教师成为自我激励者。

有更多成就机会的工作是最具有激励力量的，克西斯曾米哈依（Mihalyi Csikszentmihalyi）把这种工作本身的满意度称为"充溢的工作状态"，它是指人们非常投入一项活动，由此不再把其他事情看得紧要。人们出于对工作本身的崇敬，为做某项工作而不计代价。在"充溢的状态"下，工作就仿佛是攀岩、创作、演奏音乐或者园艺等这些有"原创感"的活动，一方面是高层次的个人享受；另一方面增强了个体的功效感。克西斯曾米哈依写道：

我们通常有这样的体验……一个人的行动带有一种深度却又毫不费

力的投入，这种投入摆脱了日常生活的忧虑感和挫折感。令人愉悦的经历使人演练了控制自己活动的意识。……最后，时间的长度感被改变；几个小时似乎几分钟就过去了，而几分钟可以像绵延了几个小时。所有这些要素结合起来，就产生了一种深深的乐趣①。

充溢的活动使人追求卓越的工作表现，使个体感到自己是"有能力"的，体验创造性的乐趣。

萨乔万尼认为，要使教学工作达到"充溢状态"，关键是要找到恰当的平衡。一个人在工作中面临太多挑战但不具备相应的技能，就会导致精神焦虑。而如果具备一定技能，却没有足够的挑战机会，又会导致对工作的厌倦。由此，当挑战和技能均达到足够程度且两者能恰当平衡时，人们就能体验到"充溢"。工作满意感是有力的领导替身，为能达到这种状态，需要精心设计教学，使教师工作丰富化，同时需要发展教学支持系统，等等。

（二）提升内在满意度

对工作丰富化的研究使我们分辨出许多建设满意感的方法。使教学工作丰富的方法有许多，例如，充分发掘教师的才华与技能，给教师更多的课程自主权，让教师体会到对学生的重要影响，等等。我们碰到的一个案例说明了教师工作自主性能够提供更大的激励，促进教学成效。

[案例 3 - 10]　　　　**增加工作自主性**

1998 年，中鼎集团在苏南地区开办的民办昆湖大学面临关并。昆湖大学的董事长兼校长齐宝被公认有控制狂，她的独裁作风正使得学校走向衰败。事实上，她对手下逼迫得越厉害，教师和管理人员的积极性就越低。

---

① Csikszentmihalyi M. Flow: The Psychology of Optimat Experience [M]. New York: HarperCollins, 1990: 49.

作为最后一搏，齐宝聘请了一名顾问。顾问给她出了这样的主意：首先，主张教师是一支规范化的队伍，例如有教师资格证、有较强的教学能力，在此基础上增加教师待遇。其次，给予教职员工更多的权利和责任。顾问说，这样做可能会使教职员工的工作动机增强，工作质量改善，工作满意度提高，流动率降低。

齐宝勉强接受了这个建议，并为教职员工的工作做了重新安排，以提高其自主性。对于每项工作，管理人员和教师都要找出能实现目标的4—5个工作任务来。如果对于这些工作任务不精通，就要接受培训。以教师为例，一旦教师被认为能熟练掌握教学任务，就要把目标交由他独立完成。接下来，教师不再需要应付频繁的检查，在过去，这些检查包括了教师备课笔记纸张的规格、数量等烦琐内容。教师只需要每隔一个月在教研室通报工作。

教职员工都很喜欢这种新体制。一位教师说："实际上这种方式更有效率，过去，我的好多精力都放在应付管理层的要求上。现在，我建立起自己的工作目标，能更好地分清主次，还能在教学中尝试一些新的教法，而按照以前的规定我是要冒风险的。"

齐宝费了三年的周折，才习惯了给予教师如此多的自主度。不过，现在她对这种新体制的运行结果感到由衷的高兴。学校238名员工表现的成绩完全超出了她的期望。

在众多调查案例中，我们注意到一些学校领导者十分善于"经营"自己的学校，学校在他们的任期内得到大幅度提升。这些校长对教师的专长和特点很了解，并会在此基础上分层次地设计教学，发展教学支持系统，这往往是提升教学成效的关键。校长要善于抓住各个教师不同的"闪光面"，加以欣赏、激励，挖掘他们最大的潜力，帮助每个个体创造"成就"，这是学校成功的重要前提。高明的学校领导者必然理解，高质量的教育来自于教师专业化的能力及其心甘情愿的付出。

工作满意感使员工在不一定松散但肯定愉悦的环境中工作。我们的研究认为，有关工作的下述几种要素是学校中的人受到激励的关键，领导者应当关注下属的这些心理体验。

1. 体验到共命运的感觉

这是指一个人能够体会"任务的意义"，相信正在做的事是有价值的，领导者所描述的学校愿景基本上符合了教师个人对未来的想象，理解个人的贡献符合整体的目的和使命。

简单地说，领导者要善于把学校的愿景目标传递给别人。愿景包含了追随者的愿望，是人们对未来共同利益的理想的、独特的想象。传递愿景不是强迫下属接受领导者的个人意志，而是要形成共命运的感觉。要让人们尽可能地看到他们的兴趣和抱负与学校的愿景目标是一致的，从而激励他们为实现愿景而付出努力。

2. 体验到信任和授权

一个人感受到在工作中不仅仅是一个"走卒"，希望凭借愿望、热情和奉献去把握工作的主动性，并体会到强烈的参与感和负责任的快乐。教师的专业责任感、专业自豪感往往也从这里诞生。例如一位教师被授权规划和实施一项低年级阅读项目，在这项科研工作里，行政领导应该尊重研究小组的意见。领导人要做的是协助教师的研究。

就像一位很出色的学校领导者所讲的："如果你是一名做事果断、独立性强、有极强操纵力的领导者，那我告诉你，你在管理今天的学校时只会一筹莫展。"巴顿将军在过去的军队中可能是一位伟大的将军，但在今天的学校里，乃至今天的军队中，他都可能会给人带来噩梦般的感受。

3. 体验到能力的发挥

学校的整体气氛应当是尊重每个人的能力。有经验的学校领导者应当认识到，在分配一项任务或责任时，承认个人兴趣和技能的差异是非常重要的，就像一位校长所言："为了了解每个人善于做什么，我与大家坐下来讨论这些问题，避免把一个人分配到他不擅长的岗位上。"

对教师潜力的挖掘是很重要的学校经营思路，例如，我们在本章第一个案例中提到的达成中学，他们大胆用人，鼓励教师借助项目发展能力。再以当前中学地理生物等小学科教学为例，许多教师抱怨自己的工作得不到社会和同行承认，有"工作丰富化"意识的领导者应当帮助他们积极地发展自我，推进某些措施关注"小学科"，让教师感悟到"小学科"也可以从不同的角度展示价值。

但是，这一"因材施教"的观点同时也指出了，如果教师不具备专业所必需的基本能力，那也是不被允许的。缺少经验在所难免，但是缺少热情和知识是不能接受的。教师如果缺少本领域的知识，就有责任去获取这些知识。

本书提出"提升教学工作内在满意度"，阐明"文化力"更关注人内在心理状态的满意，而非外部物质条件所得。尽管物质刺激是必要的，但它们不是学校生活的主流。

四、发展同行伦理

在针对这一课题进行访谈调查时，我们见到了一位70多岁的老人，他曾在一所很著名的重点中学担任了20多年数学老师，是一名受人尊敬的特级教师，也曾是所在省有很高荣誉的"红杉树"教学奖的获得者，听过他的数学课的学生无不为其教学魅力所陶醉。这样的一位老人，对学校教育的关心是割不断的。在描述他个人成就的经历时，老人最怀念的是当初的教研室里那种共同探讨、相互激励、老一辈毫无保留地提携青年教师的气氛。他解释道："我是在那个环境中成长起来的。""那不是我个人的特长，是我们大家的特长，不是我自己的，是大家的。"

"同行伦理"（congeniality）被理解为同事之间在专业上相互帮助、

促进知识共享的一种责任心。苏珊·莫尔·约翰逊（Susan Moore Johnson）指出："同行是这样一个群组：他们一起工作，讨论目标和目的，协调课程，相互观察和评论工作，分享成功和提供安慰。他们通过集体获得成功，远远超过单打独斗所获得的成就之和[①]。"

萨乔万尼又指出，"同行伦理"与"团队精神"几乎是同义的，而后者已经引发了人们强烈的研究兴趣。在他看来，"同行伦理"必须与教师个人的才学、能力同时发展。他写道：团队精神是领导的另一个有力的替身。这种美德越是得以在学校中建立，教师之间就越会形成自然的联结，教师也越会自我管理和自我领导，致使校长的指挥式领导变得不那么必须（萨乔万尼，2002）[101]。

（一）"同行伦理"是如何发挥作用的呢？

下面这个案例中的校长和他的教师在星辰实验学校创建了"微型团队"。当微型团队取得进步时，一所学校的"同志情谊"产生了，它把更多人的智慧变成了学校群体智慧，这才是真正和有效的领导。

[案例 3-11]　　　发展中的"微型团队"[②]

星辰实验学校建立初期，我有过一个梦想：学校开辟一个能让教师喝喝咖啡、喝喝茶的场所，学校免费供应咖啡和茶水，不仅让教师们享受休闲的乐趣，更让他们有一个可以无拘无束地聊一些话题的场所。我在教师大会上曾经表达过这样的意思：学校提倡自由，只要坚持四项基本原则，什么话题都可以聊。很可惜，咖啡屋是建起来了，但就是没人去那个地方。有人说，这是因为教师工作繁忙，没时间到那里去。也有人说咖啡屋在靠近校长办公室的地方，哪个人敢到那里去。后来，我们改变了做法，由学校领导主动召开没有主题的对话活动，参加的教师由

---

① Johnson S M. Teachers at work：Achiering Success in Our Schools［M］. New York：Basic Books，1990：148.

② 改编自庞荣瑞. 发展中的微型团队［J］. 江苏教育，2006（6）.

各部自由决定，讨论的话题也由教师自由提出。这样的活动虽然也收到了一定的效果，但离我"团队建设"的梦想还有一定距离。

发现"微型团队"是近两年的事。我们教师讲办公室发生的故事的时候，显示了团队的真正吸引力。事情是这样的：我校有一位通过民选上任的副校长，他曾经借调到组织部工作半年。离开学校到机关工作，一般情况下每个人都会十分珍惜。这位同志则不然，经常往学校跑。后来，他又被派往教育局组织科挂职交流，除了还是经常往学校跑外，终于坚定了"不愿留在机关工作的信念"。他的动机只有一个，即在原来的办公室里，不仅大家相处得非常愉快，而且相互学习，得到了很快的长进。事实上他所在的小学部办公室，有一位教务主任、一位政教主任和一位退休后被返聘的教学副校长，他们都是业务性的管理者，他们在一起，无时不在进行着真正意义上的研究。

只要稍微留意一下，我们就不难发现"微型团队"的萌芽无处不在。在办公室里，同一学科组的教师经常自发地研究和交流。他们在没有学校授意的情况下，一人开公开课，大家相互评课，人与人之间表现出非同一般的真诚。于是，我们学校把建设"微型团队"写进了"学校三年发展规划"。我亲自主持了一个名为"建设微型团队"的研究课题。学校规定，有"微型团队"意义的"教师工作室"要给予支持奖励。具体的要求是：一个"微型团队"必须有一位教师作为领军人物；团队必须要求三人组成，多则不限。教师工作室必须有明确的议题、清楚的过程反映。最终必须有论文获奖或发表。对于教师工作室也有考核与验收，由学校学术委员会负责。

微型团队建设是一个理想的追求。它的起步、发展、直至形成规模与氛围可能是一个漫长的过程。但只要我们有这样的意识，关注和研究它的发展，并尽可能地予以帮助或支持，相信我们的梦想一定会实现。

这位校长的高明之处是把隐藏在教师心中的智慧挖掘出来，变成学校的共同财富。在领导实践中，让下属按照自己设定的方案进行程序化操作并不难，但要让下属具有思想并能转化为自觉行动，就是对管理的挑战。

与前面几种文化规范相类似，"同行伦理"如果能发展起来，它将在学校等教育机构中发挥重要的"替代领导"的作用。再以我们前面提到过的山东省平度一中为例，由于推行"集体创优"的管理文化，同一学科的教师培养了共同提高的使命感，青年教师有了迅速成长的紧迫感。在一种尊重、理解、沟通、信任的环境中，教职员工有着更高层次的成就追求，他们能自觉、主动地调节和控制自己的思想和行为。

（二）如何发展"同行伦理"并以此为纽带实现领导作用？

明茨伯格（Mintzberg）指出，人类的所有活动都在两个方向上有基本对立的要求，在一定的任务下，要么促进严密的监管，要么促使大家正在做的工作协调完成（Mintzberg，1973）。劳动分工、严密的监管、标准化的工作程序是最简单的方法，通常只能用于简单化的组织，例如作业要求比较单一、线性的工矿企业。而对于具有"复杂性教学规则"的学校，这些"简单化"的方法势必造成学生学习的灾难。

学校工作环境是非线性的，教师的工作在很大程度上要求有专业素养和同事之间相互依赖的关系。在超越"监管式"管理活动的基础上，应当发展如下以"同行伦理"为取向的控制策略。

1. 强化教师作为专业人士的义务

专业人士要运用专门的知识与技能，要不断地学习进修，要一定的专业自治，因此，专业人士的工作不应该过度程式化。但是对专业人士的工作评价有"社会化"的规范。例如，对医生、律师的专业要求，人们期待他们用"训练所长"进行工作。明茨伯格写道："当一个麻醉师和一个外科医生在切割阑尾的手术室相遇时，他们几乎不需要什么沟通。凭借各自的训练所长，他们确切地知晓相互间期待的是什么。"（Mintzberg，1979）

教师职业现在已发展成为具有一定专业水准的职业，尽管还不完全，但强化教师作为专业人士的义务，有助于教师专业化的成熟。而在对教师作为专业人士的期待中，专业道德规范的要求一直非常强烈。比如人们心目中"好的"和"出色的"教师都是那些愿意协助别人、眼界超越自己、对变革持开放态度的人，他们作为教师"领袖"通常是渴望学习、有责任感而又大度的。

2. 强调对共享价值观的承诺

苏联教育家马卡连柯说过："如果有五个能力较弱的教师团结在一个集体里，受着一种思想、一种原则、一种作风的鼓舞，能齐心一致的话，那就比十个各随己意的优良的教师要好得多"①。

价值观确立之后的重要环节是对价值观的导入，将理念转化为行动。如果说一所学校有"信奉""追随"这样一些东西存在，那是对价值观、理念的信奉和追随，而不是对有超凡魅力的、或有鼓惑性的领导者个人的追随。追随理念高于追随个人。在高度一致的价值观的盟约下，教师群体能够摆脱政治和利益因素而建设友好的人际关系，生成忠诚、信任、平和的环境。在这样一个环境中，人们因为情感的自然联络，以及对教育教学的责任感而工作，把个人得失放在其次。在教育工作中，有爱心、勇于承担责任的人，才能最终获得同行尊敬。

3. 促进积极的相互依赖

在我们接触的许多案例中，还没有碰到过一个优秀的教育工作者能够在不需要同事提供任何支持的环境中成长起来，不论他们是管理工作者还是教师，只有竞争没有合作，处处防备的办公室气氛孕育不了骄人业绩。

成功的学校总是在创设一种积极融洽的人际关系和团结协作的结构

---

① 马卡连柯．教育诗［M］．北京：人民文学出版社，1957.

体系。他们的目标服务于一种较大的团体利益，他们的形象以集体劳动的面目出现。他们对任务进行分解以便使每个人的工作都能对最后的结果有所贡献。团结合作又注重个体成长的文化环境使人们内心深处对学校产生了共荣共生的归属感、责任感，从而大大提升了学校教育质量、文化品位和精神境界。

一个团体中，工作人员越有悟性，他也就能越早意识到，只有遵循互利互惠的准则，与其他同事相互依赖，才能为自己争取更大的施展能力的空间。在任何长期有效的关系中，都必定有一种相互照应的意识扎根其中。

"同行伦理"不仅仅是使教师们能在一起工作的种种条件安排，更关注人的内部动力，促进人愿意为团体荣誉做事。正如我们在"专业德行"的分析中所指出的，"同行伦理"是一种对"教学活动本身"的承诺，意味着教师具有把教学看做是自己职业的神圣感。

"同行伦理"既是有效的，又能支持人向好的、善的方面发展。对"同行伦理"的理解越透彻，它所能替代的领导也就越多。

综上所述，坚持道德领导思想的学校是具有系统思考和行为能力的，它们不仅坚持不懈地恪守自己的核心价值观，而且要持之以恒地投放支持价值观的资源。文化力的四个维度，形成价值观、建设专业德行、提升工作内在满意度、发展同行伦理，它们并非是学校文化领导的全部，但倡导这些方面会令学校管理焕然一新。文化的影响力使学校的价值理念渗透到全体师生的思想行动中去。文化的力量一旦被付诸于实践，我们就能逐渐体会到，领导就不再那么紧迫、那么集中了。

学校一旦实现"以文化来领导"的境界，领导者就不需要用很多时间去研究怎样推动教师为学校付出，他可以有更多的时间去处理教学专业化的问题，也可以有更多空间操持有关道德、政治、财政等重要的问题。

4

建立学校道德共同体

看一看校长和教师还有什么工作要做，
以便把学校从一个官僚主义的机构
转变为一个兴旺的学习者的共同体。

富兰，教育学者

道德领导思想扩展到学校管理层面，需要让所有的人都看见并领悟到一种长期的规划和愿景。道德领导不只是孤胆英雄式的领导者一个人独守的事情。领导者要通过唤起成员高尚的思想情操来影响他们的行为，使组织中的人们愿意为"未来美好的画面"而献身，让他们由更高层次的需要所驱动。

有效的学校领导者应当是"躬于实践、敏于行动"的人，他们应当有把理念付诸于实践的设计。本章将阐述道德领导思想在学校管理实践方面的内容。建设学校"道德共同体"的系统思路促进了教职员把"不断改善、争取更好"作为一种制度化的习惯，一种有纪律的生活方式。卓越的学校领导者不仅自身具有正确的教育观、办学观，更重要的是，他们能够引领下属共同提高。领导者不仅是价值理念的先行者、示范者、发动者，更是能够提出学校发展愿景的设计师，是能够打造精英教师团队的精神领袖，是追求卓越办学成就的领跑人。

在当代西方学界，通过建设"共同体"来改善学校是十分盛行的观点。人们提出教育领导的目的之一就是创造相互关心并具有共同责任的团体——在这一团体中，每个人都很重要，而且每个人的幸福和尊严都能得到尊重和支持（William Cunningham，2000）。学校领导者要促进学校共同体成员的成长，他们要在公正、关怀、批评这些伦理原则的基础上做出决定。在共同体中，对学校改革做出的反应不是对权威的盲从，而是要求学校管理者的道德领导（Starratt，1995）。

把学校建设成为一个"道德共同体"，意味着学校不仅应组织教学、传递知识，它更应超越这种工厂式的管理，"把学校从一个官僚主义的机构转变成为一个兴旺的学习者的共同体"（富兰，2004）。家长、教师和管理人员因学生和谐发展的意愿而结合，对一套共享价值观和理念承担义务。"道德共同体"意味着学校是人和思想的集合体，而不是砖瓦砌就的建筑物的集合体。"道德共同体"使学校与封闭的、靠外在规则控制的"系统世界"适当分离，它使学校的"生活世界"得以兴盛，让许多事情得以改观①。

"道德共同体"是理想的学校组织形式，学校发展愿景要在建立"道德共同体"的努力中得以实现。就像改变"GDP 至上"的社会发展观，"道德共同体"改变了"分数至上"的教育观，体现了学校可持续发展的实力。学校并不只有经济生活的简单原则，人们也不仅仅为了自身利益而进行劳动交换。"道德共同体"改变了教育组织内部人与人关联的形态，它把"寻找适合教育的学生"改变为"寻找适合学生的教育"。

---

① "生活世界"和"系统世界"来自于哈贝马斯的交往行为理论，在哈贝马斯看来，生活世界是以语言为媒介的，而经济组织系统和社会组织系统则分别以货币和权力为媒介。现代西方社会的一个基本特征是"系统"与"生活世界"严重分离，市场经济、官僚体制侵蚀了原本属于私人领域和公共领域的"生活世界"。这是两个在观念上相互依赖的概念。

一、概念的演进

首先，我们要对"共同体""学校作为道德共同体"做一些理论上的梳理，之后，我们将主要围绕如何建设共同体展开阐述。

在国际教育管理文献中，与"共同体"（Community）相关联的一组概念包括学习型学校、团队精神、学习共同体、专业发展共同体（Professional Learning Communities），等等。萨乔万尼等主张在学校中应该用"共同体"概念代替"组织"概念，通过改变教育组织内部的社会联结性质来推动共同体建立。彼德·圣吉（P. M. Senge）所发展的学习型组织的理论和策略，经常被用来作为建构学校共同体的指南，认为要用"建立共同愿景""系统思考"等方法来调整、重塑教育组织。

按照布洛和斯格特（Blau，Scott，1962）对共同体的解释，共同体的核心是各种关系和感知的相互依赖，共同体创造的社会结构使人们连成一体，并受到一套共享的价值观和理念的约束。价值观、情操和共同信念，为创造一种从"我"转变为"我们"的意识提供了必要条件。

众多文献向我们显示了有关学校"共同体"的理论与实践已相当丰富，对共同体概念的深究有助于我们更清晰地理解它。

（一）关于社区与社会的分析

作为社会学理论的一个基本概念，关于"共同体"的意义探讨早在德国社会学家费迪南德·托尼斯（Ferdinard Tonnies）1881 年的著作中就出现了。在这本名为《社区与社会》（Gemeinschaft and Gesell-schaft）的著作中，托尼斯区分了人类群体生活的两种基本类型：**社区与社会**（Gemeinschaft 在英文中被译为 Community，Gesellschaft 被译为 Society）。托尼斯认为，社会形态从最初的狩猎社会转变到农业社会，再转变到工业社会的过程，是一种从**社区**向**社会**的逐步变迁。其中伴随着价值观念的转变——从一种神圣共同体的生活愿景，转变到一种更加世俗的社会生活愿景。尽管真实世界不存在纯粹形式的社区和社会，但是这两种隐喻指示了不同的思维方式和文化类型。

在托尼斯那里，**社区**，指的是一种自发产生的社会关系，其特征是在共同的传统法规中具有亲属般强有力的联系；而**社会**，是指社交发展的机械模式，以非个人契约的联系为特征。任何集合体中，社会关系并非直接发生，而是受意愿支配，个人出于一定的原因才与别人发生联系。在**社区式**的集合体中，这种意愿是自然的意愿，个体之间因为内在的意义而建立关系；而在**社会式**的集合体中，社会关系的发生受理性意愿激发，个体建立关系是为了某种目的，获取某种利益。鉴于此，托尼斯的观点是：当社会朝着连续体的社会一端发展时，"共同体价值观"被理性意愿的价值观所取代。**社区式**的人际关系中，人与人之间是道德的纽带，而在**社会式**的人际关系中，人与人之间的纽带是工具性的，因此也是薄弱的。

这种社区式人群关系的解释就是最初关于"共同体"的理解。共同体具有一种"自然"的本质，它可能是血缘式、地缘式的，犹如在宗族、在小村庄中形成的联合体；又可能是思想的联合体（精神共同体），例如师徒关系，等等。精神共同体是最高形式的共同体，在这种共同体中，人与人脱离了空间联结，而发展为一种心灵生活的亲近。

尽管托尼斯非常欣赏社区式的联结，但是他预言随着社会迈向工业化、城市化，以及现代秩序的发展，感性关系必将被理性关系所替代，社区也必将被社会所取代。这种理解后来在马克斯·韦伯等人的著述中得以发展，韦伯同时指出，**共同体**和**社会**所反映的社会关系是可以相互"嵌入"和"转换"的，也就是说，大多数社会关系都部分具有共同体的特征，又部分具有社会的特征。

（二）社会关系的 DNA

在托尼斯等人之后，社会学家帕森斯（Parsons）提出了一个描述社会关系的"范式变量"。他指出，任何关系都可以被描述为五对变量组成的范式，这些变量是一个连续体上的两种对立面，人们可以用它评价一个机构内部的社会关系。这些社会关系在连续体上的变量是：

感情主义——感情中立；

特殊主义——普遍主义；

弥散性——专一性；

原因——结果；

集体取向——自我取向。

从五对变量可以看到，左侧的变量由"非理性"的价值观所主导；而右侧的变量由"理性"的价值观主导。五对变量从五种维度反映了一个机构的社会关系，它们在连续体上的位置说明了机构具有的共同体倾向的程度。

以教育组织为例，按照一个统一标准对待所有学生是"普遍主义"的价值取向，而以个别化的方式对待学生则是一种"特殊主义"的价值取向；师生关系是类似专业人士与客户的、感情中立的"利益关系"，还是类似家长与子女的"感情关系"；我们衡量一个学生是否优秀，是单一地看他的考试结果，还是注重他取得好成绩的过程（原因），等等。

学校虽然不能被强调为这些变量中绝对的某一个，但是可以根据学校在两极化对立面中的**相对**重要性，标定每一变量的位置。这种定位横跨几对变量，组合形成学校文化的 DNA。

萨乔万尼指出，学校的基因应具有"共同体"DNA 特征：各种关系是情感的、亲密的联结而不仅是形式上、体系上的联结；学生的个别化受到重视；成员愿意为共同体利益而牺牲个人利益；挚爱孩子是共同体成员的生活方式等（2001）。

（三）学校中的社会联结

托尼斯的观点揭示了工业社会正规组织的社会式特征：组织成员的关系是疏远的，人的主体性受到抑制，理性受到嘉奖，自我利益高于一切。但是，就学校而言，在讨论教与学如何组织、怎样评价学生、怎样激励教师、怎样实行督导、什么是领导以及领导怎样起作用时，社会式的价值观不一定行得通。萨乔万尼指出，在教育组织内，作为"共同体"的学校与一般组织的区别是：用社会盟约（social covenants）来隐喻"共同体"成员之间的社会联结性质；用社会契约（social contracts）来隐喻一般组织各成员之间的社会联结性质。学校成员之间应当是基于"共享价值观"的、"盟约式"的关系，而不是基于"交易资本"的、"契约式"的关系。社会盟约和社会契约之间的差别在于，前者由共享价值观念凝聚而成，以"规范"（norms-based）为基础；而后者是由利益需求作用而成，以"规则"（rules-based）为基础（萨乔万尼，2004）。

学校和其他任何机构一样，不会是社区和社会某种单一倾向的类型，它同时具有两者的特征，但是，的确存在着社区价值观、社会价值观究竟哪一种价值观占支配地位的问题。当社会形态从社区向社会变迁时，**神圣的**共同体生活愿景转变到**世俗的**社会生活愿景。但是，就学校而言，回归神圣共同体的愿景是其内在本质的要求。在共享的价值观下，人们创造了一种特殊的归属感和强有力的共同身份，彼此分担道义和责任。

应当看到的是，当前由效率和理性驱动的学校偏向于社会，需要重新组合创造一种有利于共同体的姿态。萨乔万尼指出："在现代，学校一直被固置在社会的阵营，并造成令人遗憾的结果。该是把学校从'连续体'上的**社会**一头移至**社区**一头的时候了。""我们难道是要冒险创造不适合学校的实践标准和行为准则吗？"（Sergiovanni，2000）

（四）学校作为道德共同体

如果社会式的价值观被应用于家庭、邻里、社会性组织和学校，会引起严重的认识论问题，经济效益的观点并不是学校的本质。承继德国著名的哲学社会学者哈贝马斯和美国社会学家阿米泰·艾兹奥尼等人的理论脉络，萨乔万尼提出了学校有如"马赛克"（mosaic）的隐喻①。
"马赛克"有多种不同的颜色和形状，通过一种共同的骨架和胶水组合
在一起。它象征着社会，社会中有各种各样的共同体，它们既保持文化
的独特性，又能囊括各个部分，是一个由各个部分组成的整体。在这个
形式下，共同体对其自身的独特性和所共享的架构拥有坚定的承诺。在
学校，道德价值观就像是大多数学校中的骨架和胶水，如果没有它们，
家长、教师、学生和管理人员就无法形成凝聚力。道德价值观要求人们
愿意牺牲自我而去谋求共同利益，但是民主社会的价值基础——个人主
义的价值观也有其位置，共同体并不排斥每个个体或单元的独特性。

被喻为"马赛克"的共同体要调和多样性与共同体，遵循"有原
则分权"（principled decentralization）与"分层忠诚"（layered loyalty）
相结合的原则。共同体强调人们由于自然意愿而结合，有共享的价值观
和理念，把每个人从个体的"我"改造成集体的"我们"。尽管共同体
旨在使人们出于利他的原因而追求共同事业，但它又可能会使一些人和
谐一致，同时排斥另一些人。共同体还可能夸大与他者的差异，导致分
裂、破碎、脱离和冲突。共同体既是囊括性的，又是排他性的。鉴于共
同体的这些特征，有原则的"分权"和尊重不同个性的"忠诚"被用
来作为解决分裂的指导原则。

学校"马赛克"的骨架是道德价值观。根据价值观和对"作为一
个人意味着什么"的思考，道德行为的领导者带领共同体成员为"做
正确的事情"而奋斗。在学校中，情感、共同体成员身份、道义、责
任感是更有力的激励因素。萨乔万尼指出，学校"道德共同体"包含

---

① 阿米泰·艾兹奥尼，曾出任过美国社会学协会主席，资深的白宫国内事务顾问。自
1990年起，他创立了共同体成员网，致力于经济社会中道德的、社会的、政治的支持。艾兹
奥尼质疑普遍化了的古典经济学的哲学观，认为每个个体并不都是独立决策的，在很大程度
上，个体决策是在集体中形成的。个体只有在共同体内，才能够导致相对理性的决策，个性
只能存在于社会集体的环境中。

了多方位的含义①：

●学习的共同体。学生和学校共同体的其他成员在其中担负着思维、成长和探究的义务，学习既是一项活动又是一种态度，既是一个过程又是一种生活方式。

●同辈的共同体。成员们为彼此分享的利益而相互沟通，并通过确立一种相互依赖和分担道义的意识来追求共同的目标。

●关怀的共同体。成员们互相承担一种总的义务，他们之间关系的特征是：具有道德品格。

●全纳的共同体。在这个共同体中，经济、宗教、文化和其他方面的差异被调和成一个相互之间有共同特定关系的相应的整体。

●探究的共同体。在这个共同体中，校长和教师们反思其实践，并探索解决所面对问题的方案，同时，他们自身承担着发扬集体探究精神的义务。

在当代共同体理论的发展中，人们指出随着环境的演进和概念的发展，原始意义的、乌托邦式的共同体的瓦解是必然的，现代意义上的共同体更强调成员之间"经过协商的共识"，共同体成员之间的共享价值观是经过艰难的谈判和妥协取得的。而"反思、批判和试验的动力"是现代共同体区别于传统共同体的关键。共同体这一术语既不意味着一定要共同在场，也不意味着一定具有看得见的社会性界限。"共同体成员拥有不同的兴趣，对活动作出不同的贡献，并且拥有不同的观点。多层次参与是实践共同体的成员关系所必需的"②。

在本书中，我们力图体现学校道德共同体的现代含义。

---

① 萨乔万尼．校长学：一种反思性实践观［M］．张虹，译．上海：上海教育出版社，2004：88-89.

② 转引自赵健．学习共同体：关于学习的社会文化分析［D］．华东师范大学博士论文．2005：22.

二、让愿景活起来

在领导学界，本尼斯和纳努斯（Bennis，Nanus）"愿景领导"的观点有广泛的影响，而这种观点同时可以在学校共同体建设的方法和策略中应用。本尼斯指出，在那些高度成功的组织中，领导的关键成分是令人瞩目的愿景能力——勾画愿景和实现愿景的能力。他把领导者定义为"为组织带来愿景的人"，"具备能力将这一愿景转化为现实，能够引发和推动变革"（Warren Bennis，Burt Nanus，1985）。愿景，指的是一种创造和传递理想目的的能力，这种期望能使组织中的成员相互承诺。愿景作为一种介质使领导的象征力得到重视和传递。

一个共同体需要一定"愿景水平"才能为未来的卓越成就提供准备。试想，如果没有梦想和抱负，我们从哪里开始去实现更美好的世界？拥有道德领导观点的学校领导人相信，改善学校、提高效能的关键是要建立融合了组织和个人利益的"共同愿景"。领导者不是操纵人们去追求个人收益，而是力图保证共同体成员有必要的知识和责任心，去实现组织的愿景。

（一）保持前瞻性

在前面几章中我们指出，学校道德领导应当有正确的教育理念、诚实可信、关心教师，等等。然而，仅仅具备可信赖的品质是不够的，领导者还有一种品质是很多人身上缺少的：那就是他们能在飞速发展的时代保持前瞻性。现实中我们见到许多人勤恳敬业，一丝不苟，但他们却不见得有远见。前瞻能力是一种跨越了时间的长河，能看到距离现在很远的事物的能力。试着想想我们自己，难道不是愿意去追随那些有感染力，前进方向明确的人吗？只有令人振奋的工作目标，才能使团体内的成员摆脱周而复始的枯燥感，使我们的心灵充满激情，让我们在分工协作、相互关怀中体会生命的意义。有前瞻性的领导人对未来的思考先人一步，对摆在面前的机会尤其敏感，他们不仅能看见今天的问题，而且更关注组织的明天是什么样子。

在建设一个相互之间有特定关系的共同体时，有前瞻能力的领导人擅长以愿景、希望和梦想来激励员工。在别人看不清楚目标、认不清局势的时候，他们能高瞻远瞩地看到发展时机。他们关心的不仅仅是自己，还有更多更大的事情：如何变革组织，使自己的团队发挥到极致。他们对自己的想法充满热情，并相信，在瞬息万变的现代世界中，有愿景将是另外一种面貌。如果领导者本人不深切地关注某件事、某个目标，又怎能指望其下属全力以赴、充满热情？如果领导者自己意志消沉，又怎能指望下属行动起来？如果领导者自己做不到，又怎能指望追随者忍受漫长的历程、艰苦的工作，全身心地付出呢？

愿景在共同体成员中的意义已经被人们广为接受，领导者的前瞻能力是可以培植的。作为领导者，必须先要明确对愿景的认识，然后才能争取其他人接受共同愿景。创造一个共同体的意义感，领导者首先自己要有信心，对未来有规划。在感染他人之前，领导者首先要感染自己。

[案例 4-1]　　特曼教授与"硅谷"工业园①

每一所学校都有一本难念的经，即使是现今风光无限好的美国斯坦福大学也不例外。在成为名校的道路上，斯坦福经历了不少曲折。依靠历任能力卓越的校长，斯坦福大学最终摆脱困境，成为引人注目的学府。

提到斯坦福大学辉煌的今天，就不能不提到一个人，他就是"硅谷之父"，曾经身为斯坦福副校长的弗雷德里克·特曼教授。特曼一生与斯坦福有着难解的缘分，他从小在斯坦福的校园中长大，从小体弱多病的他非常喜欢研究无线电。

1924 年，特曼在麻省理工学院获得博士学位，他的指导老师就是

---

① 改编自杨永昌. 名校长的高绩效领导力［M］. 北京：九州出版社，2006：43-48.

模拟计算机的发明者万尼瓦尔·布什。这位恩师带给特曼的影响最大的思想就是，大学应成为研究与开发的中心，而不是纯搞学术的象牙塔。

也许是与麻省理工的缘分比较浅吧，特曼本来准备担任该校"无线电工程学"的教授。但是他患了肺结核，波士顿阴冷的气候不适宜他的身体，使他成为麻省理工的教授梦成了泡影。1924年，他应邀成为斯坦福大学电子通讯实验室主任，开始了在斯坦福的职业生涯。

1945年，他被提升为斯坦福的副校长。

1951年，他筹划成立斯坦福工业园区，即硅谷。

他用独到的眼光为困难重重的斯坦福找到了不同寻常的出路。

20世纪40年代后期，美国联邦政府决定要加大政府对教育的投资和关注力度，致力于复苏教育，这对于全美的大学来说是一个难得的好消息。

当时任斯坦福副校长的特曼教授远见卓识地认为，高校的未来在于人才。在他看来，"大学不仅是求知的处所，它们对于一个国家工业的发展、工业的布局、人口的密度和所在地区的声望，都可以产生巨大的影响，而且要成为一流的大学，必须有一流的教授。"

但是，斯坦福偏于一隅，与东部的名牌大学是无法相提并论的，最关键的是，西部远不如东部发达，人才流失严重，当时的斯坦福对名牌教授没有吸引力，这些情况对斯坦福吸引国家投资很不利。

为此，特曼提出了著名的"学术尖端"构想，这包含两层意思，一是吸引顶尖人才；二是树立顶尖科系。可是要完成这一构想面临的第一个难题就是聘请尖端人才所用的资金。为寻求这笔资金，特曼教授与当时的校长华荣士·斯德林商议后，决定把斯坦福闲置的土地，出租出去665英亩，给从事高科技的工厂，这里始称斯坦福工业园区，也就是后来举世闻名的硅谷。

建设在后来的不断实践中，工业园被认为是一个具有多种效益、附加值极高的方法，可以使技术从大学的研究室迅速地转移到园区内的工厂，从而产生惊人的经济效益和社会效益。斯坦福不仅得到了聘请尖端人才的资金，而且也为尖端人才提供了良好的工作环境，更为斯坦福的学生提供了实践的机会和创业的环境。由此，斯坦福吸引了国家的大量投资，为学校提供了良好的发展机遇。

工业园区内的企业一家接一家地开张，不久就超出斯坦福能提供的土地范围，继续向外发展扩张，形成美国加州科技尖端、精英云集的"硅谷"。

以特曼教授为代表的斯坦福领导人，他们在身处落后的环境时并没有抱怨等待，而是以他们的远见卓识为斯坦福找到了发展之路。有愿景是重要的，虽然"想象中的世界"不容易达到，大多数创新充满风险，但是没有一项光辉的事业不是从勾画梦想开始的。意义和目的来自于人们的内心深处。

有前瞻能力的领导者能创造条件，让每个人因为价值、意义而做事，而不是为斤斤计较的计算而做事。学校道德领导者的一项重要活动，就是要在教育组织内描述共同体愿景，制订长期发展规划。

（二）发现共同目标

有愿景是一回事，愿景是否代表了共同体成员的心声是另一回事。不管学校领导人的梦想有多大，如果教职员工没有在其中看到实现自己希望和想法的可能性，他们就不会追随愿景。寻找成员共同关心的问题才能把愿景变为现实。

一名道德领导者必须加强的能力是要敏锐地感觉到别人的目标，发现和关注一个集体中共同存在的文化，这个集体可以是一所学校、一个家长—学校共同体、一个专业团体、一个项目组等。就像现代意义上的"共同体"所强调的，共同体要关注成员之间"经过协商的共识"，共享价值观是谈判和妥协取得的。确立共享价值观，领导者需要采纳建议、搁置争议，听从许多人的意见。

深刻理解共同体成员的渴望是道德领导者的基本技能，他们要找出追随者们共同向往的东西，了解他们，倾听他们的声音，征求他们的意见。比如说，领导者要了解人的存在都是有目的的，人人都想有所作为。而人们在世界上的目的，很大程度上与工作相关，人们渴望在事业成就中、在专业性的工作中体会身份和意义。

这种对他人的敏感并非只是雕虫小技，相反，仔细倾听，关注细微的暗示是一种可贵的素质。它意味着领导人要抽出空来，花时间和下属在一起，经常要有意识地停歇日常活动去倾听。正如一位校长所讲的："我总是和教师们在同一个食堂吃饭，经常到各科办公室走走，大家在谈什么感兴趣的话题时我也参与其中。这么做只是为了分享观点，从而保证我们在为同一个目标努力。"现实中，这位领导者在凝聚力建设方面是成功的。

[**案例 4-2**]　　　**英纳城学校的交互式管理**①

英纳城学校是加拿大安大略省一所公立城市小学，大多数学生家庭的社会经济地位不高。

校长称自己采用的是交互式管理模式。他请教师参与很多决策工作，并会欣然接受学生的来访。很多学生会来到校长办公室，和校长分享自己的成功或让校长关注自己的情况。学校的副校长负责学校的纪律问题，校长和副校长午餐时还在工作的情况很常见。

校长为学校制定了工作目标，根据学校的发展需要，也会适时调整目标。该校参与了一项"学校效能研究"活动，强调发展课程大纲以促进协作性学习，并为所有学生提供安全的学校环境。一个由校长、副校长、支持该项目的教师和教师代表组成的学校发展小组定期讨论学校出现的问题和情况，不断考察适合学校改进的方式方法。

这所学校的家长与教师有着积极的联系，家长自愿者很普遍。每周都会有家长自愿者到班级中工作一个下午，并会协助学校进行郊游等活

---

① 改编自 David Reynolds，Bert Creemers. 世界顶尖级学校：学校效能国际风景线［M］. 孙河川，译. 北京：高等教育出版社，2005：98-106.

动。学校每月至少向家长发放一次学校通信，以使他们了解学校工作和学生的成绩。每年还会采取不同的形式向家长通报学生情况7~10次，方式包括采用晚间老师家长会、电话或放学前的班会等。

对英纳城学校而言，他们几乎不必特别关注学校的声誉和形象。它所在的这座城市中，学校不存在生源竞争。由于学校的秩序和管理相当严谨，一些家长也会选择将孩子转往另一种制度的学校，但这不是主流。学校通过家长联合会与家长保持联系，但是总的来说学校并没有刻意为在当地树立令人瞩目的形象而努力。

在前面关于学校"道德共同体"的描述中，我们指出学校首先应作为一个"学习的共同体"而存在，"学生和学校共同体的其他成员在其中担负着思维、成长和探究的义务，学习既是一项活动又是一种态度，既是一个过程又是一种生活方式"。英纳城学校的校长和教师不为虚名所累，他们的共同目标是要营造一种鼓励学生积极向上的学校氛围。他们推崇有效的管控和师生全身心的投入，对学生的期望也很明确。他们强调教学与纪律，共同体成员的相互信赖使得它保持了高效的运作。

在发现共同立场、找到共同目标后，道德领导者接着要做的是把愿景写下来，愿景是领导者与共同体成员对未来的独特想象。愿景通常也不只是几个字，例如有一所学校将愿景概括为"让学校成为学生成长的乐园，教师发展的摇篮"。接着，领导者要考虑愿景是否能最大范围地触动成员，是否具有极大的包容性。把理念综合到愿景规划中，有必要听取一些批评意见，逐渐地，随着共同体成员的加入，就会形成一个一致意见，愿景宣言由此诞生。

（三）对愿景进行沟通

只有领导者一个人有愿景目标是不够的，共同体的成员都必须理解、接受和投入到这个愿景目标中，只有达到这样一种状态，一个以法规制度为基础的"组织"才有可能转化为一个以价值观为基础的"共同体"。让其他人感悟到愿景、认同愿景，这是对学校道德领导的挑战。愿景不能只是领导者的个人的希望，它应当是教职员的共同愿望。在愿景建立之后，领导者要向利益相关者宣传这些愿景，与之沟通，让人们看到他们的兴趣和抱负与共同体的愿景目标是多么一致，从而激励他们为实现愿景而努力。

领导者要有传播愿景的信念，在自己周围真诚地表达这种信念，愿景才可能被带到每个人的生活中。为了使难以捉摸的目标明确，领导者要通过一些具体的做法点燃人们的激情之火。通过动人的语言、主动的交流方式和语言之外的行动等，道德领导者应当赋予愿景以生命。

[**案例4-3**]   **校长的沟通能力**①

校长要与各种各样的角色——教师、学生、家长、外界同行、上级领导打交道，这就要求校长有良好的沟通能力，懂得对方心理，体会对方情绪，达到双方的相互理解和支持。如果校长善于与各级管理者沟通，就能赢得其他管理者的了解、赞同、支持；如果校长善于与教师沟通，就能在情感上与教师接近，在教学问题上达成共识；如果校长善于与社会沟通，就有可能多争取教育资源，更好地使社会理解学校的办学理念。校长良好的沟通能力能促进教职员工共同奋斗，发挥学校共同体的作用。

说到沟通能力，美国前总统里根是个好榜样，撒切尔夫人曾这样评价他："自林肯之后，没有任何一位总统能如此深谙语言的激励与鼓舞之力。"里根非常善于把自己的政治理念以及所遇到的政治困难与民众交流，引起民众的同情、理解和支持，同时也了解民众的困难。他的演讲能打动人心，语言非常富有激情。为他撰写演讲稿的人说："里根总统甚至能把一个电话本念得引人入胜。"他的幽默总是能及时化解尴尬

---

① 改编自杨永昌. 名校长的高绩效领导力 [M]. 北京：九州出版社，2006：209-210.

的局面。里根是个有感染力的领导人，他对沟通的各种方式和手段十分精通并运用自如，他无愧于"伟大的沟通者"的称号。

再来说校长，历史上一些有作为的名校长都在学校管理和发展中运用了良好的沟通能力。

张伯苓任南开大学校长时一直因懂得教师、尊重教师而吸引了大批名师。新学期伊始，新聘教师到校，他召开新教员茶话会；逢年过节，他与夫人邀请教师夫人聚会；每学年毕，按惯例宴请教师，以酬谢大家辛劳。更重要的是，在学校的发展上，张伯苓非常重视教师意见。南开大学成立不久，就建立起师生校务研究会，在学校目标设计上听取其他学者的意见。南开大学后来的迅速发展与张伯苓的成功领导不无关系。

家长是学校共同体的重要组成，有些校长在与家长沟通方面做得很好。上海市闸北八中的刘金海校长，在"成功教育"的经验中包含了他主动争取家长支持的管理思想。刘金海认为，学习共同体不仅是学校内部的，而且涉及学校外部并渗透到家庭之中。因此，学校要与家长多沟通，提高家长的教育意识，协调家长与学校之间的良性关系。该校为家长举办了"把每一个孩子都当天才来培养、来欣赏"的主题报告会，使家长从中受到极大鼓舞。家长认为，"我们的孩子不聋哑、不残缺，怎么会教不好！"继而加强了信心。学校还改进了家长会内容，过去是"告状会"，现在是"促优会"，老师把学生的点滴进步报告给家长，家长很受感动，也觉得有希望了。

有干事业的热情，有成功的渴望，能提出愿景和奋斗目标，这些对道德领导者来说是很重要的。此外，领导者还要有感召力、凝聚力，通过象征性的事件、典礼、故事或其他活动来传达愿景和使命，因为愿景规划要令人信服地表达到共同体成员那里才能真正成功。领导者要向追随者表明，在未来长期的愿景中，人们的利益如何体现，使他们对愿景的理念深信不疑。

让成员了解教育工作的意义，发现和提升他们的工作价值，带领和团结一大批优秀的人，使人们理解他们是在作出独特的、重要的贡献，这样的事业才无往不胜。

三、生活世界复兴

承继哈贝马斯的理论脉络，萨乔万尼等一些西方学者引入了"学校生活世界"的概念①。西式语境下的"学校生活世界"可以理解为给学生以"意义特别的世界""生动活泼的世界""身心健康发展的世界"，等等。萨乔万尼写道："生活世界即一所学校所处地区的价值观、传统、意义和目的，它体现在由种种传统、仪式、规范所界定的学校文化中（萨乔万尼，2004：Ⅷ）。"由外部绩效机制所驱动的学校只能算是一个"系统世界"，而学校只有由内部特色驱动，才能达到和谐的"生活世界"的境界。

"生活世界"学说源自于德国哲学家哈贝马斯关于"系统世界"和"生活世界"的划分。哈贝马斯指出，现代西方社会的严重病征是"系统"与"生活世界"分离，市场经济、官僚体制侵蚀了原本属于私人和公共领域的"生活世界"，使其失去了本来应有的健康，引起"生活世界殖民化"。与大多数社会批判理论家一样，哈贝马斯注意到了人类行为在经济层面上的物化现象，生活世界殖民化则是他对当代资本主义社会病理特征的一种总体判断。

把视线投放到教育领域，学校的"生活世界"表达为领导者和追随者的目的感、学校文化、组织活动、规范等这样一些东西，而"系统世界"则表达为学校的管理程式、测量工具、政策执行程序等。萨乔万尼指出，在美国和其他国家，学校"生活世界被侵蚀"的情况比比皆是。例如英国、加拿大、新西兰等地大规模展开的"学校改善"

---

① Sergiovanni T J. The Lifeworld of Leadership [M]. San Francisco：Jossey-Bass, 2000. 以及 Mc Connell James. The First Year of the Headship：The Lifeworld of Beginning Leadership [D]. 载 UMI Microform NQ81672, 2002.

运动，强调国家课程、统一标准、标准化的测试、一致的督导系统等，它们排除了学校的个性选择，致使"学校生活世界殖民化"。因此，应该正视这种侵蚀，建设学校共同体，实施道德领导，形成学校文化，使学校生活世界重新得以兴盛。

生活世界复兴意味着在系统和生活世界的冲突中，同时存在着拓宽生活世界、减轻金钱和权力媒介控制的希望。哈贝马斯认为，未来理想社会是由非强制意愿形成的、较高水平的互三体性所提供的"交往共同体"。在这个共同体中，和解和理解成为人们行为的思想动机，社会成员共同决定其生活方式的程序，在一种共同性中真诚地生活①。

什么样的学校才有兴盛的生活世界？萨乔万尼指出："学校应当有更高层次的、更细致的对学生的关注，培育亲切有礼的人际关系，持续记录常规教学过程和选择性评价中学生的学业长进。生活世界的核心是建设学校学习共同体，这其中，有特色的价值观是重要的，例如，一方面是'注重学术研讨等事务'的价值观；另一方面是"注重对人的关心"的价值观，它们共同反映在学校规范中。在学校，社会契约把家长、教师、学生带入一种共同的承诺，从而取得令人惊喜的结果。"②

在《领导的生活世界》中，萨乔万尼以 ISA（the International School of the Americas）——一所美国公立学校为例，说明了富有目的和意义的学校生活世界。

[案例4-4]　　**有关心和支持的学校**

ISA 从开办起，就遵循着"非选择性"原则。与当时大多数成功学校喜欢选择学生不同，ISA 的所有学生都有平等抽签的机会。来到 ISA 的学生也有与别人不同的愿望，他们希望学校规模较小，信奉自我选择

---

① 郑召利. 哈贝马斯交往行为理论：兼论与马克思学说的相互关系［M］. 上海：复旦大学出版社，2002：150 - 151.

② Sergiovanni T J. The Lifeworld of Leadership: Creating Culture, Community and Personal Meaning in Our Schools. San Francisco: Jossey-Bass, 2000: 17 - 34.

的权力。这所学校带着希望和承诺把孩子们领入高质量的学习经历。学校允诺小规模班级，有关心学生的教师，让学生在学习和发展中有话语权，并用传统和非传统的各种方法学习，他们相信每一个孩子都是天才。

学校没有现代化的教室，甚至所用的实验器具也都是老式的，但学校最令人瞩目的是它保证学生在学期间得到关心和支持。在 ISA，领导被定义为能够反映师生的心声，能够关爱学生，并能够支持学生的角色（voice and care and support）。在这个学习共同体内，教师、职工、家长、学生、顾问以及所有事业伙伴，每一个人都可以成为领导者，每一个人都有呼吁的权力。

一个男孩子进校时头始终低着，眼睛只看着地板，表情总是害羞，说话不敢大声。而一年以后，他走路的步子充满自信，头昂得高高的，脸上挂着灿烂的微笑。这个孩子对自己的成长感到骄傲。

ISA 还注意培植学生之间的咨询团体，学生通过相互对话表达各自的声音，通过相互磋商达成对愿望和理念的共同理解（Sergiovanni，2000）[41-44]。

ISA 生活世界的描述让我们回到了托尼斯的**社区**（共同体）生活愿景，教师与学生之间是自发产生的社会关系，具有亲属般强有力的联系。个体之间因为内在的意义而建立关系，他们之间是道德的纽带，而非社交发展的机械模式。

受生活世界理念的指引，下面分别从共同体外部环境改造、内部条件建设以及规模控制的角度，具体讨论如何复兴学校生活世界的问题。

（一）加强地方学校的自主权：外部环境创造

萨乔万尼认为，培育学校的"生活世界"，使其摆脱被侵蚀的困境，就应当使学校反映生活中有意义的价值观和信念。为了实现这一点，应当加强地方学校的自主权，他写道：

"生活世界"的权威以当地价值观和信念的形式存在,只有地方性的行动计划才指向学校自身的归宿。在抵及学校改善的漫长旅途中,如果由于外界"强硬之手"(如科层权威和法定权威)的干涉而使地方学校的权威发生短路,那么就会造成"生活世界的殖民化",从而使学校改善夭折,学校效能受损①。

"生活世界"权威在很大程度上由地方学校自主权来表达,这体现了道德领导的又一承诺。萨乔万尼进而指出,维护地方主义权威,应注意保持两条原则。

附属原则(The Principle of Subsidiarity):社会中每一个机构、每一个成员都应当避免过多地被国家或大型的机构所干涉、划圈子、定规则。在地方自主权中,忠诚和责任应当有相当重要的位置,作为学校生活世界的行动指南。

相互依存的原则(The Principle of Mutuality):人们之间应建立有益于双方的关联形式,各机构之间、各层级的政府之间以相互尊重、互相尊敬为特征,这条原则当然也把忠诚于教育事业和对学生的责任置于相当重要的位置,但同时更重视把生活世界作为学校共同体的组成部分,共同体各个层面在平等地位上实现利益调和。

依照"附属原则"和"相互依存原则"建立起来的学校管理系统,以地方学校的生活世界为根本,又与更广泛的社会利益相联系。这个系统建立在地方自主的倡议和关注之上,而不需要向国家利益和其他投资人的利益妥协。

对"地方性学校"观念的特别强调,表明了萨乔万尼反对现有教育管理实践中"只有一种最好的方法"的教育评价观,否定为每个人提供同样的标准、同样的课程、同样的教学和评价。他指出,一所真正的效能学校所要求的领导,是对价值观、信念,对当地有识之士和社会

---

① Sergiovanni T J. The Lifeworld of Leadership: Creating Culture, Community and Personal Meaning in Our Schools [M]. San Francisco: Jossey-Bass, 2000: Preface.

民众的希望和要求十分敏感的领导，他们了解一个特殊群体的学生在一个特殊环境下所要求的发展。

（二） 建设有独特品格的学校：内部条件建设

从以上关于生活世界的描述中，我们推论，生活世界接受一所学校独特的地方色彩的文化价值观。只有独特才能带来骄傲，如果一所学校与大街上所有的组织一样，没有特色，只会执行上级指示，从来不争取发展机会，它有什么优势让人感到卓尔不群？正是独特使我们与其他人区分开来，独特使学校中每一个人都自尊、自重，从心里保持对学校的忠诚。

学校应当建设特色的观点，已得到了教育工作者的广泛认同。特色建设的目标指向形成独特的文化色彩、文化风格，也就是说学校在与其他同类学校相比中，既有共性，又有鲜明的个性。它不仅表现在一草一木，一句格言，一块奖牌上，更是从思想到行为所表现出来的特别，明显区别于制度化的学校。有特色的学校也是有品格的学校，学校总是在品格塑造的过程中形成特色。学校领导者最重要的素质是赋予学校特定的品格，学校品格与学校效能相关，并与学生学业有着十分密切的关系。

萨乔万尼指出，与人的品格的设定大致相同，学校品格也包括了正直、诚实、非凡的道德感、目的感、信念、沉稳等素质，品格的关键是超常的道德素质。在有品格的学校中，人们把品格追求作为实现学校目标的有力途径。学校成功的关键是让家长、教师、学生能够把握自己的命运，发掘实现目标的不同规范和手段（例如有的学校把"同志情谊"作为最基本的行为规范）。这种控制、规范和手段即是一所学校不同于另一所学校的品格，它突出了共同体成员的目的、身份和意义。学校文化在以下方面的德行形成了学校品格[①]：

---

① Sergiovanni T J. Refocusing Leadership：to Build Community ［J］. The High School Magazine，1999（9）.

道德的德行——诚实、信义、礼貌、勇气、正义；

智力的德行——慎思、明辨、好奇；

交往的德行——友善、爱心、自立、愿意帮助、愿意合作、尊敬别人；

政治的德行——承诺公共利益、尊重法律、负责任地参与。

这些关于德行的观点提供了一个立体框架，阐明学校与其他机构相比具有文化上的独特性，使人们形成对于学校目的的一致理解。

德行在学校品格构建中有十分重要的意义。但是，这并不影响领导的基本方面历来都是"工具主义"的。例如，领导活动中缺少不了周密的规划、良好的管理习惯、有效的追随、政治上的敏感以及实际的管理技巧等。道德领导和技术主义的领导是管理的两个维度，它们之间精妙地相互支持以达到一种平衡。因此，在实践中，如何平衡这两个维度成为建设学校品格、预测学校效能的关键。哪一维度是中心的，哪一维度是边缘的，这都需要在明确的价值观前提下，通过赋予当地学校一定自由选择的权利来表达。

从以上观点我们得出简单结论。首先，品格发展的关键在于学校的独特性，它否定了标准课程、划一模式以及规定的教学方案和评价等。其次，品格发展的结果不仅依赖于地方学校共同体的自主权，而且依赖于学校共同体"正确地运用自主权"。

[案例 4-5]　　　　**变化中的心智图景**[①]

小学校长珍妮一直努力做一名由一项州法律规定的"教学领导者"。她必须运用一种州的评估工具来评价本校的每位教师，这种评价一年进行两次，所用的工具是一份包括 50 种教学行为的普通目录，关

———————————

① 改编自萨乔万尼. 校长学：一种反思性实践观 [M]. 上海：上海教育出版社，2004：54-58.

于这些教学行为的材料是从几十份"有效教学"的独立研究报告中搜集来的。根据要求，她必须重视州的指令性的学生标准化技能测验的得分，并将这些测验分数作为这种评价的一部分。该评估工具有好几页篇幅，还包括大量的日常文书工作。另外，每次评估还得附加 1 小时的课堂观察。珍妮对此认真负责，她估计每次评价大约需要 3 小时的全身心投入。

教师们被要求制订"发展计划"，珍妮则必须对此加以监督。这种发展计划要求表明每位教师打算怎样改进自己的教学，并由此获得较高的评价分数。珍妮估计她一年得花 180 小时或 22 天专门从事这项州规定的评价。她要花许多时间来收集、研究和评论这些发展计划，然后还得想出合理的、高效率的方法来追踪教师们声称的他们将要做的事。她注意到，发展计划中的言辞时常是敷衍塞责的，这使她很烦恼。

在珍妮的其他教学领导职责中，有一项是对教师进行日常督察，以确保他们所教的每门学科或课程都遵循州的指令性标准。珍妮可以通过实行"巡视管理"来监督、记录这个过程，但是她不能仅仅依靠这个过程向上级具体地证明她的学校遵照了州的要求。为了避免上级督学给她差的评价，珍妮要求教师们在每日课业计划中写明他们的教学标准，并说明他们为实现每一个教学目标所用的时间。每周五，她尽职地收集并检查这些课业计划，以确保教师们依照规则办事。

珍妮所在的学区非常强调与规定的标准有密切关系的测验。学校必须将这些测验结果上报给学区中心办公室，再由该办公室递交给州教育厅，然后在报纸上加以公布，同时在全州范围内对每个学区进行比较，并在学区内对各所学校进行比较。为了在测验结果比较中取得好成绩，学校承受着巨大的压力。珍妮必须向上级督学报告当年的测验结果，以作为对她的评价的一部分，并将这些结果与前两年的测验分数作比较，从而表明所取得的进步（或没有进步）。

珍妮有这样的印象：教育局长要不惜任何代价使分数上去。轮到珍妮头上，她也向本校教师施加巨大的压力，以确保学生们在测验中取得好成绩。例如，所有教师都参加了"在职进修"，为的是以当今流行的教学模式作为他们日常教学的根据，该模式由一系列特定的步骤组成，这些步骤被认为会提高学生的成绩。

珍妮监管着一个紧密连接的"教学管理系统"，该系统试图把可测量的目标、非常具体的课程、有一定要求和详细时间安排的课程表与一个控制监测系统联结在一起，以保证教师们在恰当的时间做要求他们做的事情。尽管有这样一个管理系统，但结果却一直令人沮丧。虽然在测验分数尤其是关于低级技能的测验分数上有一点收获，但是许多问题已经出现。课程正变得愈来愈狭窄，旷课率上升。而且教师们愈来愈少地运用他们的才能和技能。使用了这个特别的教学管理系统，其他许多"非预期的结果"正在出现。教师们似乎正愈来愈多为测验而教学。而且，珍妮确信，当她在场进行观察时，教师们是在"卖弄"他们受命使用的教师评价工具中的指标，而在其他时候，则不使用这些指标。她怀疑自己经常观察到的是演戏般的课，因为在教师们为取得较高的评价分数而做出的努力中，这种课很容易显示出上述评价工具中的指标。高分增加了教师们在功绩——工资的阶梯上向上攀登的合格性。

珍妮想知道是哪儿出了差错，教师们正在做上级要求他们做的事，但珍妮感到，外表与真实情况并不相符。经过一番痛苦的内心斗争，她决定，必须做一些不同的事情。

珍妮意识到，要使传统的管理起作用，就必须使学校结构可预测，必须使人们被动地按照制度行事。而现实的情境并非如此。当她从某篇文章中读到关于管理与领导之间的区别时，她认识到，管理关系到"正确地做事"，而领导则关系到"做正确的事"。

珍妮认识到，成功的校长既是有效的管理者，又是有效的领导者。但是倘若不得不在两者之间做出抉择，那么唯一明智的选择就是做正确的事，即使这意味着你做这件事并没按照制度所指定的方式。对珍妮来说，这是一种重要而勇敢的决定，具有里程碑的意义。她有个想法：当官僚体制的权威与道德权威发全冲突时，道德权威必须始终处于上风。

虽然起先有些犹豫，但她现在觉得这个想法令人鼓舞。

珍妮不是那种不顾一切的人。说到作风，大家认为她做事相当守规矩，甚至保守。但是，她开始有弹性地对待规章条例，在解释争端时总是体现规章条例的精神而不是照搬其文字，由此对她发现的学校结构方面的松散性质做出回应。当遇到上级督学实行严密监督，制度严格时，或者由于制度的强制而不得不无视个人差异和情境差异时，珍妮便会遵循一种相反的方针，就是强调规章条例的字面而不是强调其精神。有保留地执行成为她在管理上的保留动作的一部分，她意识到当教师们处于同样的困境中时，他们经常采用这种技巧来获取利益。

例如，在运用标准化制度评价教师期间，珍妮全然不顾条文规定的那些程序，她的做法是，针对给定的正在教的课文或单元、确立了的目标、学生的学习需要，坚持要求教师们展现有意义的教学行为，而不要求展现评估条文上罗列的所有教学行为。她会就教师们打算在课内完成的任务以及如何完成这些任务与他们进行交谈。她对决定各位教师教学风格的个性差异既敏感又尊重。例如，沉默寡言的教师不善于搞那种能"得分"却充满水分的强化和反馈，而他们那些开朗的同事则很容易做到这点。珍妮和教师们一起审阅那长长的关于教学行为要求的目录，并对其进行筛选、改编，就被评价的一系列教学事件中的特定教学事件，根据已识别出的特殊的教学问题，确定8种或10种显得最有意义的行为。这份篇幅较短但却更富有意义的改编本，便成为评价的根据。

如果珍妮的上级督学得到关于真实情况的传闻而对她采取严厉措施，想迫使她更明确地依从现行制度，珍妮就会改变策略，例行公事地迅速进行教师评价，以节省尽可能多的时间来做其他事情。一旦评价结束、文件归档，珍妮和教师们就能够做更有意义的工作，并以更好的方法来改进教学。珍妮正在迅速学会怎样在复杂、凌乱、非线性的邋遢派世界里实施领导。她的管理心智图景正变得与她遇到的实际情景相匹配。

珍妮学校的故事揭示了在密集的"教学管理系统"下，如果教师的一切教学行为都必须按照官方的指示做，教师将愈来愈少地运用他们的才能，从而使得教师仅仅在作形式上的服从，他们只是"为测验而教""卖弄他们受命使用的评价工具中的指标"。当珍妮在解决问题中采取了抓规章"精神"，而不是照搬规章"文字"时，她已经走出了形式主义的巢穴，开始在落实地方学校自主权、建设品格学校、兴盛学校的生活世界的道路上行走。

（三）兴办高期望的"小学校"：规模控制

20 世纪 80 年代以来，随着西方世界"学校改善"等一些运动的展开，兴起了较大规模的"小型学校运动"。关于学校应该尽可能小型化的观点有大量的调查研究作支持，研究人员认为，与大型学校相比，小型学校有许多优势：小型学校中学生的依恋性、行为的持续性和行为能力更强；小型学校对提高标准化考试的分数作用相当明显；小型学校中暴力事件发生率大幅度降低；小型学校的环境更有利于学习；家长和社区成员对小型学校的满意度更高；小型学校环境对教师专业发展更有利[①]。

［案例 4 － 6］

小型学校的这些优势使我们有理由相信，小型学校更容易建设共同体。许多颇有成就的人，在回忆他们的童年、少年时代时，都隐约地提到过他们成长中的小型学校，小型学校比大型学校更让人难以忘怀，小型学校的情感生活更细腻。即便在今天这个追求规模效益的时代，小型学校也并没有被完全舍弃。例如苏霍姆林斯基曾经耕耘过的帕夫雷什中学，经历了岁月的沧桑，现在它仍然只有 500 名左右学生的规模，访问者写道："走进帕夫雷什中学的课堂，让人眼前一亮的是，每个孩子都

---

① 李钰. 减少规模：班级？学校？：美国小班化改革与小学校化改革之争［J］. 上海教育科研，2003（6）.

是那么神气和优雅，个个都是绅士淑女的样子，讨人喜欢。"①

　　小型化的学校，符合了我们关于校园的理想：校长和教师可以用学生自己创造的周围环境，用丰富集体生活的一切资源进行教育。

　　在学术界，支持建设"小型学校共同体"的见解很普遍（Sergiovanni，1995）。例如，古德兰德（Goodland）在其名作《一个称之为学校的地方》中写道：学校负担过重是因为它规模太大，最小的学校能最好地解决问题，能被最理性地导向，具备最关怀的教师，最令学生和家长满意，等等。富勒（Fowler）指出，小型公立学校或小型学区的学生成就更高。克莱菲尔德（Judith Kleinfield）也指出，小型学校主要的优点是它产生了一个"非控制化的环境"，在小型学校，对传统领导角色不特别需要，对工作人员的要求更情感化，学生会接受更多新的挑战，掌握更新的理念，其学习更容易提升。众多研究表明，学校应当足够小，以使学生"感到需要"。学校应当要让学生感受到，学校由于他们的存在而能够开展工作，学校生活因为学生而有意义。

　　尽管如此，支持小型学校的观点也并非没有争议，因为人们通常认为大型学校更具有规模效应，不仅促进了学习，而且节省了开支，办学当然不能不考虑经济问题。然而，另有一些研究持相反的观点，认为大型学校运作更昂贵。例如，纽约"城市公共教育协会和建筑联盟"的调查发现，大型学校的经营管理失当，难于安全有效地管理；大型学校需要多层次的行政人员：督导、助理校长、教务长、更多的秘书，等等。总之，这个调查认为，有 400 张座位的学校其"成本竞争力"就足够强②。

　　普遍化的大型学校模式被形容为"凝固的科层表达"，在那里，领导、管理、组织似乎都被模式化了，正如萨乔万尼说的："这种大的构

---

① 夏青峰. 走进帕夫雷什中学［J］. 江苏教育（教育管理），2006（9）.

② Sergiovanni T J. Small School, Great Expectations. Educational Leadership［J］. 1995（Vol. 53 No. 2）.

建充满了我所了解但不能解决的问题，我理解却不能用的词汇：以能力为本的课程，自主评价，全面质量管理……班级变大了，项目来去匆匆，更多的孩子不成功。我们的词汇中出现了'危机中的孩子'与'失效的家庭'"（1995）。

多小才算是小型学校？道格拉斯·海斯（Douglas Heath）的研究指出：一所初级中学应有200～300名学生，一所高级中学应有400～500名学生①。超过这一数字，学生与教师都没有足够的机会保持相互关系，结果造成一种非人际的、科层式的学校气候：学生不能经常看到他们的朋友，很少与教师之外的其他成人接触，特别是很少参加课外活动，包括运动队。另外学校越大，也使家长不怎么愿意拜访学校。

小型学校的价值不仅仅是经济学意义上的，更重要的是，它们使教师和学生精力充沛，容易建立共同体。正如美国的一些天主教会学校，规模比一般公立学校小些，但真正教的东西却多些。这些学校对学生的优良服务让人们印象深刻。里维娜（Mary Rivera），在天主教会学校和公立学校都做过校长，她指出天主教会学校更容易建立共同体，其原因是，这些学校学生的家庭地址长期在同一地方，人们在其中感受到人际关系的联结，家长认识所有的教师和管理人员，而教师也熟悉所有的家庭（Sergiovanni，1995）。

总之，建设小型学校共同体的理由在于，小型学校能让第一线的实践者体会自主的感觉：它不需要精心设计的管理结构，规章不那么死板，能解决与学生疏远的问题，等等。小型学校便于人与人联结起来形成一个共同体，使我们能够对它寄予较高期望。小型学校使学习与生活相连，以促进学校品格的塑造。

学校应小到什么程度呢？有一种主张值得我们借鉴：在学校里，至少应当让每个人都能喊出别人的名字（Sergiovanni，1995）。

---

① Heath D. Schools of Hope：Developing Mind and character in Today's Youth［M］. San Francisco：Jossey-Bass，1944.

四、服务式领导

建设共同体需要实施服务式领导。我们在前面用了很多笔墨强调长期规划、宏观愿景，但是真正要使学校道德共同体的理想得以实现，近期计划、细致管理是必须的。"视角决定高低，细节决定成败"，想成就一番事业，少不了要从一些细微的地方做起。尽管在习惯性理解中领导者总是那种强硬的形象，他们有超凡的人格，精通管理技能，掌握政治诀窍，然而这些东西不是领导的全部。领导很重要的是能够回应他人的情感需要，为他人"服务"。倡导"服务式领导"包含了这样的理念：有时候学校领导者要甘于平淡，重视对共同体成员长期的、细节上的引领，帮助他们确定自己的价值和需要。这是促进领导有效性的重要环节。

需要申明的是，以共同体为价值诉求的"服务式领导"并非仅仅是对学校事务工作的执行，更包括了学校道德领导思想的其他一些重要内涵：领导者应当能够通过权力分享让他人变得强大，通过"授权"促进下属的自我管理；在领导过程中投入真实情感；以及适当使用女性主义的领导风格等。

（一）管家式、情感式服务

威廉姆·格林菲尔德（William Greenfield）与他的研究团队对道德领导与学校管理实践进行过长期的观察和研究，他指出，教师的道德取向集中在他们与校长及与他人的关系上。"为满足儿童的需求，教师不懈努力。这不是由科层的指令或上司的指挥来驱动，而是由他们对儿童的道德承诺——一种深植于他们意识中的儿童的需要来驱动的。也是由他们的有关信仰——那种关于教师角色在儿童生活中的重要性的信仰所驱动的"。"校长们的许多努力培育了教师中的领导"①。

校长工作的实践表明，以道德为基础的领导，在很多情况下体现为管家式、情感式的服务，即使这种服务在传统的领导看来几乎有损领导者的权威。但重要的是，管家式的领导实践开掘了员工的情感，回应了人们的需要，呼唤着他们的价值观念。

从字面上看，管家的角色意味着领导人愿意为学校琐碎的事务而忙碌。他们不仅每天进出教室、处理危机、与家长谈话，甚至还包括为学生洗衣服、打扫厕所等。但是，这些工作并不似表面那样卑微，管家式领导是一种促进者的角色，它象征着领导者的道德承诺——在他们心目中，学生的需要就是目的。管家的职责要求义务地承担、不计报酬地投入。一个充满爱心的、必要的时候愿意身体力行亲自做小事的领导者，代表着学校亲切的、可敬的形象。

谈到服务式领导，我们很容易想到甘地，这位印度民族独立运动的著名领导者，甚至把这种琐碎的、繁杂的事务性服务看成是印度民族独立运动的一部分。伯恩斯在提出"转化式领导"的重要概念时着重分析了甘地式的服务精神，认为它通常代表了领导者较高层次的价值承诺，使追随者的精神得以转化。人们愿意追随领导者，是因为他们信任领导者做出的决策是基于价值观的、为团体成员服务的，而不只是考虑自我利益。对价值观的深深承诺，使领导者愿意在细微之处表达情感，他们在共同体中以管家的方式作为。

由此说来，服务式领导的核心内涵是为共同体的价值观和理念服务。事务性的服务实施起来很容易，但为共享盟约的服务却需要领导者把一些东西放在重要的位置上，例如构建团队的精神价值、分享决策、改善学校的精神文化，等等。

为了更清晰地说明服务式领导，这方面的权威著述者格林利夫（Greenleaf）引用了赫尔曼·赫西（Herman Hesse）创作的文学形象

---

① Greenfield, W. The Micropolitics of Leadership in an Urban Elementary School [C]. The annual meeting of the American Educational Research Association. Chicago, 1991.

"仆人利奥"来加以说明。赫西描绘了一群旅行者，利奥作为仆人跟随他们旅行，他在旅途中的角色是干杂活，并且用歌声支持大家。但是一旦利奥不见了，群体就陷入了混乱，旅行无法继续。故事的内涵恰恰在于最后的转折——满足于支持别人的"仆人利奥"，原来却是团队的精神领袖。

那个开始被当做仆人的利奥，实际上是团队的头，是团队的引路精神，是一名伟大而崇高的领导人①。

（二）通过授权让他人变得强大

"授权"（Empowerment）现在是领导学中非常流行的一个词汇，说的是领导者应当善于将需要处理问题的权力和责任向下属转移，让成员分担责任。在教育组织中，如确立尊重教师专业自主权、认同教师的专业技能、由教师自由决定教什么和怎么教，等等。换言之，使教师能够以自己的行为方式来表达他们的专业责任。

卓越的领导人应该懂得让共同体成员感到坚强，他们通过接受成员的思想、采纳下属的建议、让大家参与决策，以及给予承认和褒奖的方式，来提高成员的能力和自信心，增加他们对共同体获得成功的义务感。试想，如果教师在学校感到软弱、无能、毫不起眼，他们能很好执行任务吗？如果教师在学校系统中感到是统治者棋盘里的走卒，他们会有巨大的渴望去成就事业吗？一个人如果总是处在边缘，不需要负责任，那就不会唤起他深层的对生命控制的意识，他也不会有热情迈步向前。

以共享盟约为纽带的共同体，需要让追随者变成领导者——让人们主动采取行动。共同愿景需要集合众人的力量去实现。在一些成功的学校或教育组织中（例如一个教育局或一个专业协会组织）我们发现，

---

①　Greenleaf R K. Servant Leadership [M]. NewYork：Paulist Press，1977：7.

许多领导人在实践着"权力是无限扩大的"观念，他们知道，教职员工越是拥有自主权，他们的主人翁意识和投入就会越强大。当领导者与他人分享权力时，他们正在向下属展现"信任"。当领导者帮助下属提高和发展自我时，他赢得的是他人愿意与之共同奋斗的信心。一个愿意为下属体验自主权而创造条件的领导者，会使下属抱有强烈的愿望去接近。

[案例 4 - 7]　　　　**让教师体验自主管理**[①]

在常州市实验小学看来，管理的过程不是冷冰冰的制度遵守和考评过程，而是心与心交流、情与情融合的过程。只有在情感上接纳了你的管理理念，教师才能心甘情愿跟你想到一起，做到一起。校长杨文娟说："你尊重教师，教师也会尊重你！"所以，实验小学的管理者达成了一个共识：在学校决策出台之前，必须要倾听群众意见。如果群众意见合理，哪怕修正管理行为也会接受。因此，实验小学的教师们愿意说，也敢说。校长室里经常会有教师主动找校长交换意见或谈对某一项工作的看法。就如学校正在制定的一系列关于现代学校制度建设方面的措施，工会主席首先将议案送到相关教师手里，请他们提出批评修改意见。两天后，修改意见反馈上来了，不少教师在议案旁写下了密密麻麻的意见或建议，有些意见还非常尖锐。校长室汇总后，由校领导分别与教师交换意见，阐明观点，虚心接受意见，或讲清不修改的理由，直到教师们心悦诚服。这里没有"门槛"，有的是大家对学校发展的探讨与思考。当教师愿意从学校利益出发为学校管理谏言、自觉承担起一份责任时，恰恰说明管理的民主得到了教师的认可。

制定政策的过程如此，政策的执行同样遵循尊重教师、信任教师、赏识教师的原则。"让每位教师都成为管理的主人"，是很多学校领导努力想实现的理想，但事实是普通教师总是受到种种限制，才华不能真

---

① 改编自石筱·寻根：解读常州市实验小学的办学实践［J］.江苏教育.2006（6）.

正地被发现或展示，或者没有"位置"，或者没有机会，又或者根本就被遗忘在某个角落。如何让更多的能人有用武之地？实验小学基于对广大教师能力的信任推出了项目管理制度。

谢老师就在进行着一项涉及全校的活动策划。她不是学校的行政干部，却是这项全校性活动的总的"项目负责人"，这是项目管理赋予她的权力。项目负责人从毛遂自荐认领项目到招集项目团队人员、制定策划书、协调相关部门关系、支配人财物等都全面负责。这些普通教师以他们的特长为学校管理注入了新的活力。实践证明：信任成就着教师，也解放着管理者。

"心有多大，舞台就有多大"，普通教师在承担学校重大项目中表现出来的智慧也为学校管理带来了创新。全新的创意与灵感激活了校园，一个个经典的活动成了大家津津乐道的美谈。已经开展过的项目内容有：中华经典诵读校本实施；"构筑理想课堂"三校研讨活动；教师随笔、学生日记编印工作；"学会分享"德育目标体系建构，等等。所有的项目都向全校教师公布，由教师自愿报名担任项目负责人或项目组成员。事实证明，项目管理充分显示了智慧的分享，取得了明显的成效。它让那些没有"职务"的人找到了领导位置，让他们为学校的发展尽了自己的"责任"，体现了每个教师的人生价值。

（三）适当应用女性主义的领导风格

主张适当采用女性主义的领导风格是因为学校教育的特殊性，这也是一些持"非控制"论的学者非常推崇的观点。女性的特点是擅长关怀、作风细腻，而这些都是学校教育工作所特别需要的。女性注重情感、人际关系和伦理关系，对于润泽孩子的心灵有着非常重要的意义。以情感、服务为基本取向的女性风格，尽管与现代社会的效益原则相去甚远，但从长远来看，却是有质量的教育所依赖的风格。女性风格也是建立"社区式共同愿景"的行为方式之一，因为家园般的、"我们所有的人都在同一条船上"的生活愿景需要更多的情感联结。还记得挡车救学生的江苏金坛县小学女教师殷雪梅吗？正是这种在很多女性身上凝聚的爱心与奉献照亮了孩子们的心灵。在生活中还有其他力量能比"爱"更深沉、更积极有效的吗？

谢克谢夫特（Charol Shakeshaft，1987）概括了女性教育领导者的一些基本特征，她的这项研究后来被广泛引用。

其一，女性管理者比较重视与他人的关系。女性善于与人相处，她们愿意与人沟通，更注意个体的差别。女性往往更关注教师，更愿意帮助那些处在边缘的学生。在女校长任职的学校中，学生有较高的士气，也较多参与学校的事务。

其二，女性管理者更能体现"教学领导者"的身份。女性教育领导更重视教学的方法和技巧，她们在指导学习方面比男性更有手段。她们不仅强调学业成绩，而且还注重协调教学计划、评价学生进步。

其三，女性主义的领导风格更方便建设共同体。从言语模式到领导风格，女性表现得更为民主、更有包容性。女领导更容易与教师和学生产生紧密联系，使成员具有更高的参与性。

任何事情都有其反面，女性领导拥有细腻和敏感的特性，她们完美主义的倾向和对细节的挑剔可能会让共同体成员感到苛刻。尽管如此，作为一种学术观点我们仍然主张在服务式领导中适当吸收女性风格，这也并不是说所有的领导者，校长、教育局长都应当是女性，我们只是主张一种柔性的调和，"以柔克刚"是中国传统的管理智慧之一。在通向共同体的阶梯上，女性身上特有的气质、技能，或许能发挥独特的解决问题的功效。

正如萨乔万尼所指出的，传统的管理理论以男性化的观点看待成功，而女性更擅长关怀，更愿意培育关系伦理，她们的个性中有"服务于他人"的一些原则。在成功的校长中，女性有着显著的代表性。由女性生活经验阐发的观念同样是学校管理宝贵的财富。

综上所述，在建设学校共同体的管理策略中，持道德领导观点的领导者要有自己的管理梦想，心中装大事、思突破，建立发展愿景。同样重要的是，他们承担着引领成员的职责，要制订实施计划、从事促进活动。他们应理解小事对于学校的推进力量，驱动共同体成员服务于学校的价值理念。领导者既应该是一个理想主义者，追求某些远大的目标，也应该是一个现实主义者，承认实际行动的价值。

道德领导者用思想来引航，他们在共同体中的角色发生了显著的变化，他们从"孤胆骑警"转变为团队建设者——使不同背景、专长和经验的人集合在一起，缔造一个富有成效的工作团队。

5

道德领导在中国学校的应用

在追求高效益的同时，
用心追求高价值，
我们便能加入道德领导的行列。

笔者题记

　　道德领导思想的根本特点，在于它扭转了甚嚣尘上的工具主义管理观，突出了学校管理的价值理性。强调教育组织中应当实施道德领导是因为我们相信，学校作为一种社会分工与一般的组织管理是不同的，在学校中，唯一明智的选择是"先做正确的事，然后把事情做正确"。当官僚体制的权威与道德权威发生冲突时，道德权威始终应当处于上风。西方思想界这二十多年来对道德领导、转化式领导、人文领导的强烈关注，促进我们进一步认识到，一个以契约规则和理性崇拜为根本的社会并不能给我们带来期望中的美好，人们正在反思人为的制度带来的缺憾。制度的"烟花"设计得再好，倘若没有了德行的引信，将无法瑰丽灿烂地绽放。

　　制度永远无法完美，一定意义上，信念和责任可以帮助我们弥补残缺。管理文化在过去的几十年里对道德意识、人文价值的关注太少，而现在必须要得到纠正。领导人对学校更好的服务应当是花更多时间关注学校管理的道德目的，也许应当少放一些精力在维护科层系统的效益原则之上。领导的秘诀在于激励追随者献身于某种内在价值，而不是迫使他们与管理系统合作。

这种运用管理伦理对管理技术进行调控的思想日益显得重要。现实世界里，"价值先于利润""美德作为竞争的优势"等人文色彩的管理理念也在点燃人们的信念。许多目光长远的企业，提出了文化和声誉管理等问题，关注信仰、价值观、凝聚力。人们希望学校的领导者不仅为财政资源操心，更应当成为道德领导，其更重要的工作是培植师生员工的价值体系和领导潜力。在一个科学被作为一切标准的时代，道德领导思想的学术价值是应当肯定的，学者们提出的学校管理模式也是值得我们仿效的。然而，诞生于西方土壤的这种人文管理思想，有其特定的社会历史背景和教育管理现实基础。这种理论对我国实践是否具有借鉴意义，还应当考察它在现实环境中的适用性。

在道德领导的研究课题下，我们着手对现有教育行政体制下我国教育领导现象进行了问卷调查和研究，并适当借鉴了现有的研究基础——一些研究者对于教育领导权力、行为的实证分析。我们所关注的主要问题是：中国学校中，校长领导权威的主要来源有哪些；教师在多大程度上体现了自我领导；校长和教师在学校管理文化上的认知差异，等等。为了弥补单一研究方法的局限以及研究样本太小的不足，我们又对一部分教育行政机关人员、校长、教师进行了访谈。访谈过程中，我们隐去对道德领导的研究目的，注意收集关于学校领导现状的真实信息。

根据我国国情和教育管理的发展水平，我们认为，在我国学校管理活动中，提倡法治原则和科学管理模式并不过时，同时也不排斥我们应当吸收和借鉴西方人文主义的管理思想。这不仅是因为世界各国在教育管理改革中面临的许多问题都是共同的，更是因为萨乔万尼等西方学者的人文管理思想中包含着我国传统的价值资源所没有强调的，但对我们的实践却是相当有价值的内容。本章将通过对我国传统文化和教育管理现状的分析，揭示道德领导思想对我国教育实践的意义。

一、中国传统文化中的道德领导

在我国，道德领导是传统文化的一个重要组成部分。就国家治理观念而言，与西方国家强调以法律治国相比，中国的整个社会文化都呈现出伦理型特点，道德治国，显然是历代统治阶级建立稳定政治制度的重要基础。传统的西方管理学认为，管理是管理，道德是道德，这两个范畴不应该扯在一起。然而，东方的哲学却始终更为注重管理中的伦理，中国的先哲历来认为，管理与道德密不可分，优秀的执政者应当是德才兼备的领导人，"其身正，不令而行；其身不正，虽令不从"（论语·子路），德与才相比，德是更重要的。中国古代思想史上，虽然也有像法家那样重视用规章制度调节社会关系的学派，但其政治影响甚微。中国文化中影响人们行为和思维方式的主要哲学是儒学，儒学又以道德为最高价值，因此，我们认为中国传统的领导思想主要蕴涵在儒家"仁政"和"德治"的政治主张之中。

孔子作为首创儒学的一代宗师，他的领导观基本可以从两个方面进行概括。

一是以"仁"为核心的领导伦理说。孔子认为，"仁"是处理人际关系的最高道德标准。"仁"说以维护宗法秩序为目的，这种管理观包含着重要的伦理纲常：人民要为统治者服务；统治者要"爱民"。对于统治者，孔子指出"政者正也"（论语·颜渊），要求统治阶级特别是君主本人，以身作则地致力于道德修养。孔子期望执政者作为德行的表率，能以德服人，使人民顺从统治者的法令。

二是公共管理中的德治思想。在孔子聚徒讲学流传下来的处世格言中包含着许多管理思想。例如《论语》记载，樊迟问仁，孔子说："居处恭，执事敬，与人忠，虽之夷狄，不可弃也。"（论语·子路）子张问行，孔子说："言忠信，行笃敬，虽蛮貊之邦，行矣。言不忠信，行不敬笃，虽州里，行乎哉?"（论语·卫灵公）孔子对于弟子的这些教导，都是基本的公共管理规则，"执事敬""行笃敬"，其中"敬"的意思是指做事要专心致志，认真负责；"与人忠""言忠信"，其中"忠"是指诚恳地对待别人，帮助别人。这些都是人生处世的基本原则。"己所不欲，勿施于人"则更加简洁地规定了人与人之间的合理秩序。

从孔子的思想中我们可以看出，他强调用道德教化来维系统治者与人民的关系，为道德境界而献身被认为是最重要的领导活动。

在中国历史上，孔子被称为"圣人"，没有一个人的领导思想比他对后世产生的影响更深刻。儒家学说在中国历史几千年的沉浮中一直能成为显学，与后世思想家的继承是分不开的。后人的衍化始终没有脱离儒家学说"道德传统"的文化精髓。例如孟子发挥孔子的德治思想，形成了一套相当精致的富国强民管理理论。他颂扬"士大夫"精神——一种道德理想主义。他认为教育士大夫阶层是施行仁政的重要任务："富贵不能淫，威武不能屈，贫贱不能移"。"士大夫"承担着教导统治者施行"仁政"的重要责任。

11世纪宋明理学的出现，表明儒家思想的道德伦理传统与中国社会结构是难以分离的。以宋代朱熹和明代王阳明为代表，这些儒士将个人的修身同社会伦理、道德结合在一起。他们把古典儒学成功地运用到当时的社会关怀中。宋明理学进一步为孔孟的伦理管理学说提供了本体论基础，它把道德原则看作为永恒的、绝对的、最高的管理原则，为封建管理的等级秩序提供理论服务[①]。值得注意的是，理学思想具有崇尚理性、不信宗教的特点，朱熹等人对社会的管理图式、主体关系、精神意识等一系列问题的探讨，被后世认为是比较系统的领导哲学。

理学思想在当代中国受到强烈批判，它被指责束缚了主体的管理意识，严重阻碍了中国科技和经济的发展。而20世纪之后发展的现代新儒学，在熊十力、牟宗三、杜维明等几代学者的努力下，仍然以传承孔

---

① 刘云柏. 中国儒家管理思想［M］. 上海：上海人民出版社，1990：98.

孟的道德精神价值为主，同时融入了西方文化。在向西方文化探寻真理的过程中，又回过头来认真研究中国传统文化中的管理思想，这些研究深入到认识论、方法论、社会历史观、伦理观等各个方面。例如，贺麟对传统道德精神的批判，他认为，一方面，"人类社会一切活动其背后都有道德的观念和意识的作用在支配它"（1991）；另一方面，社会角色都有其内在的道德规定，功利与道德并不对立，功利是实现道德理想的有效手段。贺麟的"功利说"与西式功利主义的本质区别，在于其思想追求的是社会本位的福祉与和谐。

在中国古典管理思想中，儒学是最重要的思想遗产。两千多年来，它在中国的传统文化中占据着主体地位，在中国的政治生活中具有深远影响。中国的封建帝王在推行文化政策时，一般都打着儒家的旗号，而补之道、法诸家。"德治"思想浸透于民族的性格与心理中。近代之后，中国的知识分子在接纳部分西方学说时进一步证明，这种伦理本位的领导思想，作为世界文化的遗产，是人类文明重要的精神资源。

与当代西方学者提出的道德领导思想相比较，就领导问题的本质而言，中西方都具有同样的强调人性之律、道德之律的思想含义。但是，中国式的道德领导毕竟有其自身的文化根源，其中主要的区别，我们在本书的第一章中已经阐明：中国的道德领导偏重绝对的"伦理性"，不具有"真理性"；中国式的管理思想是"泛道德主义"的；中国传统文化强调领导个人的道德素质和他们以身作则的传统；中国式的道德领导与政治纠葛较深等。

二、倡导基于道德权威的领导实践

以上仅从历史的角度分析了我国传统文化中的道德领导。萨乔万尼辩护的主要观点是"道德权威作为学校领导的核心权威"，"道德权威应当成为一个人整体领导活动的基石"。回溯我国教育管理史不难发现，在我国学校，"校长应实施道德领导"的主张向来不陌生。在中国近代教育家人物谱中，出现过陶行知、蔡元培、张伯苓等领导形象，他们有着高尚的道德情操、出众的处事魄力。无数研究报告、学校办学思想回顾也都概括地说明了这一点，我国学校文化对道德领导的宣扬并不缺乏。但是，在实际管理活动中，人们是否真正信仰道德领导？它又是怎样发挥作用的？我们的实证调查反映了一些问题。

（一）中国校长的道德领导实践

我们根据萨乔万尼关于领导权威来源的理论，用问卷对校长和教师进行了调查。在对领导权威来源的认知上，调查结果显示，我国学校的校长和教师都把道德权威置于首位，校长尤其如此。

表5-1   中国校长和教师对领导权威来源的看法（％）

领导权威来源于	调查对象	第一来源	第二来源
科层制度威信	校长	18.5	21.5
	教师	25	13.8
道德威信	校长	63	5.3
	教师	32.1	20.7
专业业务技能	校长	3.7	26.3
	教师	7.1	34.5
人际关系	校长	0	26.3
	教师	10.7	13.8
注重教师发展	校长	14.8	21.5
	教师	25	17.2

从表5-1数据分布可以看出，与校长相比，教师对领导权威的看法更倾向于多元。校长和教师的不同选择是耐人寻味的，显然对于"道德威信"，校长的认同度要高出教师近一倍，而教师则对"道德威信""科层制度威信""注重教师发展"有比较均衡的认同度。通过跟

踪访谈还了解到，教师十分看重校长培养教师、给教师创造发展机会的情况，这反映了教师潜在的对领导权威的理解。

　　需要说明的是，我们的校长和教师对道德领导的理解与西方学者的认知有一些差异，下面是部分材料，从中我们可以做一些比较。

[调查资料 1]

　　局里召开校长会议，会间有半小时休息。多数人到室外活动，有三四位校长自发地议论起来。赵："你们说，学校领导的威信如何才能建立起来？"钱："千条万条，主要是一条，那就是能处处以身作则。你们知道我们学校的老校长，论文化水平，只有初中程度，但是他事事先人后己，不搞特殊化，生活上很关心人，谁有病他就往谁家跑，谁经济上有困难，他就设法给予补助，甚至自己无偿地出钱帮助。学校工作中人与人之间有了矛盾，只要他出面谈一谈，就能平息下去。有人说：'别的不讲，老校长的面子是要给的'。"①

[调查资料 2]

　　做校长首先自己的道德修养是很重要的，在生活上严格自律，心胸宽广，真诚待人。教师们对于校长是否清白、清廉其实是很敏感的。在评优、晋级、晋升、分房等方面能够一碗水端平，让教职员工心服口服，校长的威信自然就树立起来了。除此以外，还应做到科学决策、民主管理，以充分发挥集体的力量，两方面相辅相成，才能管理好一所学校②。

[调查资料 3]

　　龙源私立学校万校长有点发愁。初二年级宿舍经常发生小范围财物失窃，经查，确认是张某所为。学校对张某进行了多次教育，张某虽认

---

①　来源于笔者对校长的访谈。
②　来源于笔者与苏南地区某位县级中学校长的访谈。

错，但似乎很难改正。学校一些管理人员都觉得这名学生太难管了，牵扯了大家太多精力，因此，建议学校做其家长工作，让张某转校。校长从学校的安全、纪律等方面考虑，也有这种想法，因为私立学校毕竟是更加讲究投入产出的。为此，学校请来家长商量，经了解，张某的父母在他五岁的时候离异，他被判给母亲，但母亲远涉日本，他就跟着外婆长大，年弱体衰的外婆根本管不了他。万校长感到这是个让人同情的孩子，他并非天生就是贼，有的时候与他谈心也能感觉他纯真可爱的一面，只要花精力还是可以教育好的。但是，面对校内的这些压力，校长左右为难①。

以上案例可以看出，校长的道德权威，在我国学校中往往被理解为廉洁奉公，以身作则，踏实肯干，关心下属等一些属于个人道德修养的东西。但当道德与功利目的相冲突时，现实中多数情况是服从利益目标，因此那些真正关爱学生的校长就会感到道德上的困惑和痛苦。

（二）西方"道德领导"思想对我国教育领导实践一启示

比较西方学者的观点，我们可以看到，他们更多地关注建设一个道德的学习共同体。这其中，学校愿景、核心价值观、组织文化建设被认为是最重要的"道德权威"实践。例如，以萨乔万尼屡次提到的"易格思中学"为例，在团队成员形成核心价值观的过程中，校长的领导方式从最初的"控制式"转变为"以理念为本"，学校的工作从以安全、纪律问题为主转向关注道德、诚实等价值观层面的问题。

整合一下西式的道德领导思想会对我国校长的领导工作有较强的启示。

其一，道德修养是实施道德领导很重要的内容，但并不是最核心的内容。道德领导最重要的观点是主张对共同体成员的价值观塑造。现实

---

① 来源于笔者对龙源私立学校的采访。

中对领导者本人道德素质的过度强调不免使道德领导实践走入"伪圣化"的歧途，形成唱得很热闹而做得很不够的怪现象。

其二，当学校处于低士气、高纷争，纪律问题很多的阶段时，强硬管理是必要的。但当学校获得一定改善之后，需要转变管理理念，发展一种以价值为本的领导，树立广泛共享的共同体理想。

我们认为，学校领导人职业准备中最重要的职责是对学校道德目的的理解。只有把道德目的置于首位，学校才能超越"平庸"而达致"卓越"。教育领导应倡导道德权威，这一观点对于我们实践的启示是非常具体的。

1. 遵循"对学生来说是好的"的决策

这一原则特别适用于"两难困境"的处理，在管理决策中把学生利益放在首位。例如调查资料 3 中说到的校长，道德权威的领导永远谴责舍弃孩子的行为，表达爱和同情，拉回那些处于边缘的孩子是学校领导的道德责任。

"两难困境"是中国许多地方的校长所遭遇的实际问题，而校长在困境中的选择体现了其领导观的价值取向。应当看到的是，每个人都具有竞争性的、互相冲突的价值观。例如，我们中大多数人都希望税收降低，但也希望去帮助穷人，提高社会的安全保障，提高医疗福利，等等。这两种取向都需要采取一定手段，都是有利的，但却是相互冲突的选择。当面临利益选择时，价值观就出场了。学校道德领导思想的启示是：孩子永远是第一位的。由此，在面临冲突的选择中，例如学校财政创收等问题时，首先应当考虑学校本质上是一个育人机构，考虑学校的核心价值观与社会责任、政治影响等，而成为一名"精明的财务经理"应放在第二位。

2. 领导应当尽可能是"去控制"式的

由于经验和常识，人们也许认为，任何组织中都必须有人控制其他人。但是，道德领导思想则说明了权力的发挥是有限的。萨乔万尼坚称，"控制得越多，得到的顺从越少"。例如，干一天活给一天工资并不能带来员工全身心投入。"计件"的工作方式尽管也能促使员工为获取"报酬"而做事，但同时也培植了"交易"的关系，领导者只能得到"功利性顺从"，当短时间内没有利益可图时，人们就不会有更多热情投入。道德领导主张"规范性顺从"，使人们相信他们所从事的工作是正确的、美好的，参与其中能带来身心愉悦的感受。领导者是善于把正确的教育理念转化为教师信念的人，领导者要善于引导员工的理念。为了得到高水平的参与和承诺，领导者不应把"管制式"的领导方式作为管理法宝，而是要通过塑造愿景、培植价值、引领思想来进行领导。

3. 注意不要过多使用心理技术

道德领导的思想价值不仅在于它猛烈批判了科层式的管理模式，更有创新意义的是它对当今时代非常推崇的激励技术也进行了批判，这种所谓的以心理学研究为基础的理论假设人都是以"自我利益"为核心的。道德领导观点认为，依仗人际技能和人格魅力的领导实践最终也将走入末路，因为人除了受到自我利益驱动外，情感、价值观、事业的信念或许能起到更重要的激励作用，特别是在人们从"平凡"走向"卓越"的过程中。

如果我们始终认为人是以"自我利益"为核心的，我们在领导实践中就会过度重视这些与员工进行利益交换的心理技术，它会引发一种"心计"比赛，招致人们精神上的颓废，加剧人与人之间的算计、防备，甚至是政治斗争。

4. 重视教育领导的专业权威

领导专业权威的建构包括了"能力"和"德行"两个要素。由此，"有专业权威"的领导远不只是技能服务，它还应当包括在领导实践中建立"专业德行"。在这样一种理解下，学校领导人在实践中不仅要能引领教师确立职业理想，探索新的方法，与教师共享感悟和观察。而且更要考虑学校对社会价值的承诺，引领教师做有利于社会的事。在培植"专业德行"中，重要的是对教学工作本身的关注，引导教师认识教学是一种群体实践。只有培植了职业伦理，出于对教学工作本身的敬重，有能力的教师才会帮助其他在专业技能上不够成熟的教师。

总之，道德权威的领导实践并不是一种脱离现实的"空中楼阁"。实际上，我们可以从前几章的例证中看到道德领导是可以习得的。领导不是一小部分人的事情。当有人问我们，道德领导是与生俱来的还是后天培养的，我们应当坚定地回答，道德领导不是一种具体职位，不是一种天生的基因，也不是一组常人不能破译的密码。任何事情都可以强化、磨炼、提高，只要我们有追寻道德领导模式的动机，只要我们实践再实践，我们总是能够抵及这种境界。

三、增强学校文化凝聚力

引领一种有"文化凝聚力"的领导，是西式道德领导思想提供给我们的又一启示。尽管我国的文献中也不乏论述以文化建设促进领导者，但西方学者对"文化力""象征力"（Sergiovanni，1984）的系统论证，以及"管理上松散，文化上紧密"[①]（Weick，1982；Deal and Kennddy，1982）的新颖观念，显然对我国教育管理改革有重要的借鉴价值。

（一）我国学校管理的现状

我们的调查围绕以下几个问题展开：学校行政是否将价值目的作为

---

① Weick K E. Administering Education in Loosely Coupled Schools [J]. Phi Delta Kappan 27 (2)，673 – 676. Deal T E & Kennddy A A. Corporate Cultures [M]. Reading，MA：Addison-Wesley.

主要诉求？在办学思想上，学校究竟是怎么考虑的？是注重"一切向分数看齐"的产业主义价值观，还是强调学校应当诉诸教育需求、情感需求、道德需求。隐藏在管理行为背后的管理理念承载着重要的管理文化，如表5－2所示，调查数据显示了校长和教师对情感管理、道德管理的认识水平。

表 5－2　学校管理理念调查（％）

你认为在学校中	调查对象	重要得多	重要一些	同样重要	我认为并非如此
管理思想（如价值观、信念）比管理制度	校长	32	12	48	8
	教师	20	33.3	26.7	20
情感式管理比制度管理	校长	4	28	52	16
	教师	26.7	20	33.3	20
以德治校比以法治校	校长	8	20	44	28
	教师	6.7	16.7	43.3	33.3
精神激励比物质激励	校长	4	12	72	12
	教师	13.3	26.7	43.3	16.7

首先，在观念层面上，校长和教师极力主张用"德治"与"法治"相结合、"情感管理"与"制度管理"相结合、"精神激励"与"物质激励"相结合的方法进行管理。校长与教师在这一理解上大致接近。

其次，校长与教师都重视管理价值观、精神激励、情感式管理等，这说明我国学校中这种"柔性管理"的思想是存在的。特别是校长，这方面的认知并不缺乏。

再次，相对而言，人们更加确信"制度管理"的分量。

但是，单一的研究方法总有其局限性，问卷的局限在于被调查者往往是按照他认为"理想的管理应该是怎样的"去回答，这与实际现状有很大差异，例如，人们会有意无意地回避那种"机能不良"的文化，而更能说明问题的却是现实的管理行为后面所体现的价值取向。为此，我们又通过其他一些途径了解学校在具体管理上的做法。我们与校长、教师、教育局领导进行了深入的接触，根据与相关人员的交谈，我们认为，事实上，现在学校在管理上有两个非常明显的特点：学校之间的升学竞争非常激烈，因此，大多数学校都将升学率作为学校管理的核心目标；校长的工作非常"功利化"，他们忙于树立权威、平衡关系，用极大的精力进行社会交往和筹措教育经费等。下面这些材料，借以说明一些问题。

[调查资料4]

教师压力大很正常，国家教育主管部门要求要进行素质教育，又不改变高校招生制度；学生家长衡量教师的标准只有升学率，因此学校就要抓升学率、排名次，没压力能行吗？

只要有高考的指挥棒在，教师的压力就不会有多少改变。现在都提素质教育，但综观各中学甚至小学，素质教育五花八门——我的实际体会是，所谓的"素质教育"只不过是给教师的枷锁，校长总是用各项达标率来考核教师，哪管你有没有素质，嘴上要求课堂贯彻素质教育，期末还是按成绩来发资金，你考试成绩不好，一切否定！家长也一样，只是看期末的成绩①。

[调查资料5]

班主任已经当了若干年了，想着被任命时校长那一句"升重点高中的任务就交给你了！"我就不寒而栗。我班是学校的优秀班，学生都有较强的学习能力。但是，我发现这些孩子行为习惯很差，他们不懂得关心同学，关心集体。作为老师，我总觉得这种情况不对，这些孩子在发展中好像缺点什么，但是，又能改变什么呢？毕竟大家都认为只有考

---

① 来源于笔者对教师的访谈。

得好的学校才是好学校，奖励不还是给那些分数高的学校吗①？

［调查资料 6］

　　一所学校作息时间规定：早上 6 点 30 分开始早自习，晚上 9 点下自习，此期间学生都要在教室自习。课间的十分钟时间一般都是当堂课程的作业时间，各门课程的教师之间有默契，不占用别的教师的课间，也即课间十分钟都被任课教师规划和瓜分了。教师说：学校把老师的时间尽可能安排了，而老师又把学生的时间都安排了！②

　　在高强度的升学压力之下，学校事实上是"分数主义"的管理文化。由对分数的追求导致校长制度化地管理学校，教师制度化地管理学生。在一项关于中小学教师的调查中，58％ 的教师表示，由于压力过大，他们经常会出现焦虑情绪、强迫症状③。学生方面，有调查显示，"七成高中生的幸福感缺失"④。另外一些资料则从侧面反映了校长工作中的内隐价值观。

［案例 5-1］　　　　当老师还有什么意思⑤

　　现在学校实行校长负责制，校长与老师的关系是合同文本式的，校长与老师之间形成了雇佣与被雇佣的关系。说白了，老师这碗饭是校长给的，他给吃你才有的吃，老师一定意义上也是为"老板"打工。而校长衡量一个老师称职与否的主要依据就是成绩，所以一个老师为了保住饭碗，为了博得家长、校长的欢心，就不得不狠抓成绩。同时，学生的精力是有限的，过多的压力无形中加深了学生对老师的畏惧或逆反心

---

①　来源于笔者对教师的访谈。

②　来源于笔者在一所学校的观察。

③　林湄. 福建调查近半数中小学教师心理健康有问题［N/OL］. 南方网.［2004-11-02］http：//www. south. cn. com. /edu/xinwen. bobao/200411020461. htm.

④　晓亮. 实证新闻：七成高中生的幸福感缺失［N］. 苏州日报，2006-03-20.

⑤　刘工昌. 当老师还有什么意思［N］. 中国青年报. 2000-12-04.

理，导致学生与老师间很难沟通。所谓"不让学生讨厌的老师不是好老师"，大概就是指这个。最苦的还是老师，夹在领导和学生之间，两头难做人。

[案例5-2]　　　　一位校长的感言①

本校长有几句名言说与大家听听：1. 做五遍不会错的学生是考重点高中的料！2. 名家有言：只有不会教的老师，没有教不会的学生。3. 年轻人要谨记以后不管到哪里，都不能发牢骚，否则会吃亏的。4. 你的教学水平不比别人好，怎样才能考得比别人好，只有起得比别人早，睡得比别人晚嘛！5. 明天教育局来考评校长，你们都给我打满分啊！上次我99分全市排名25位。这次上面来考察，你们一定要说好听的，别好像很恶心，说不出口，我调到教育局后，你们以后评职称我会都忙的。6. 唉，现在叫我再当老师，吃不消喽，当过领导真的什么都干不了啦！

以上材料至少反映了当今学校管理中的几个问题：第一，在我国学校，当前升学竞争所带来的教师与学生的心理健康问题、校长"业绩主义"领导观念的问题已经成为教育中最突出的问题。第二，领导和教师的等第分明。现实中心照不宣的是，不管对错，教师应当永远服从领导。第三，现有学校管理文化不利于学术型教师的成长，那些真正热心教育的教师举步维艰。

（二）"文化联结"对我们的启示

自从威克（Karl，Weick）在20世纪70年代提出学校是一个"松散结合的系统"以来，人们越来越注意到学校作为一种"松散结构"的组织应当具有相对自主权，教师在课堂上受到科层原则的一般控制。

_____

① 来源于笔者对校长的访谈。

但是，"松散结构"同时也阐明，学校的各项计划、行动并不是毫无关联的，它们之间的关系仍然是紧密的，而这种紧密更多地体现为"文化的联结"。诚如萨乔万尼所言，学校更具备非线性结构的特征，表现为动态的环境、多元的目标、不确定的行动后果等，但学校本质上是一种文化组织，学校的形象是由持久的价值观、信仰和文化来支持的。综合起来，"文化上紧密的联结"为我们的实践带来了以下启示。

1. 学校应当是由"愿景"引领的

道德领导者应具有一种非常重要的能力——"愿景规划"的能力，这方面有许多示例。近者如江苏省常州高级中学，校长带领教师共同商讨制订"三年主动发展规划"，提出"明德正行、精微志远"的办学理念；北京一一九中学的"十年治校方略"；一些学校还建有专业团体也有"愿景规划"，如教师学习共同体发展愿景等①。作为未来发展意愿的一种表达，它们都是非常有前瞻性的，告诉我们学校、团体为什么而存在，希望将来往什么方向前进。远者如萨乔万尼在著述中提到了皮尔教育委员会关于"2000年的皮尔应当成为一个什么样的学校系统"，皮尔的未来形象，由员工共同参与绘制了一张"2000年的快照"②：

● 本学校系统将是一个人道的、具有同情心的、支持性的、有凝聚力的学校系统，把顾客和员工当做可信赖的人来对待。

● 作为一个好雇主，皮尔将提出现实的期望，赞赏优异并强调协作。

● 高质量的课程计划将着眼于以学生为中心的课堂、"主动的"学习和基本的技能。2000年的班级将是小型的，并配有辅助学习过程的

---

① 黄丽锷. 专业学习共同体：一个校本的教师发展途径［J］. 上海：上海教育. 2006 (5B).

② 萨乔万尼. 道德领导：抵及学校改善的核心［M］. 冯大鸣，译. 上海：上海教育出版社，2002：176－177.

新技术。

当今许多学校由于受到内外环境的影响，其价值取向是多元的。典型的情况是，学校由多元的、甚至是竞争性的目标来指导。由此，对于学校往哪里走，领导人或许在一开始并没有一种全盘把握，他们往往需要通过"感觉和反馈"来进行调整。但领导人并不能因此而缺乏"愿景"和方向感，也并不意味着计划和目标都是毫无价值的，只是强调计划的灵活性和警觉性。在"愿景"设计的战略原则上，应当支持形成"教学创新"的气氛，并增加员工的参与度。

　　2. 确立"共同体规范"

道德领导思想中，"学习共同体"的形象隐喻了学校并不仅仅是一个"教学传输系统"，只要发展一个监控系统，就能保证教学正常进行。尽管建设一个"道德共同体"意味着领导方式的彻底更新，但其中，确立"共同体规范"（或称价值观系列）是最核心的工作。

"共同体规范"是最重要的领导替身，有了"规范"（而不是"规则"），教师和学生与价值观和信念就会有更紧密的联系。"共同体规范"是一种价值观内核，确定了人们的道德责任和义务。如何设立"共同体规范"并使其发挥作用，萨乔万尼进行了示例：加菲尔德学校从一所全市最差的学校转化为一所模范学校时，在这所学校建立了一种集体性的实践。经过长期引领，校长就可以对计划、组织、控制等传统的管理职能予以较少关注，因为它们已内化在日常实践中。领导者仅仅作为"支持者""强化者"和"促进者"发挥作用（Sergiovanni，1992）[48-49]。

　　3. 用文化力和象征力替代学校中的直接监管

在实施学校道德领导的过程中，尽管技术力、人际力、教育力是基础性的，但文化和目的是学校改善的根本。由此，应当重视文化型领导和象征型领导的角色假设，激发员工的内醒意识，使学校活动与人的信仰、情感紧密相连，使共同体中各个角色都富有意义。

应用象征力和文化力涉及"领导替身"的概念。共同体规范、专业理想、提升教学工作内在满意度、同行伦理，这四种"领导替身"把学校领导从管理、控制的层面发展到价值、目的的层面。可以看到，在学校领导实践中，我们越是能够提供领导替身，教师和员工的自律水平就会越高。

值得注意的是，以文化力和象征力代替直接监管，并不能停留在信仰的编织上，要注意实施中的细节。一些理论工作者在这方面的研究对我们同样有启示作用。例如，雷·爱伦（Lew Allen）提出要好好利用学校"格言"。尽管每所学校都可以用勋章、旗帜、声明来表述学校文化，但是，这些承载未来的信念却往往在现实中蒙受冷遇。他指出，学校作为一个共同体应确保学生：①

- 把格言转化为行为；
- 将行为与学习效果相联系；
- 反思他们的学习；
- 与学校共享他们的学习进程；
- 为每一步骤做出计划。

四、通过权力分享促进员工的自我领导

学校是文化紧密的共同体。学校作为文化组织，其管理境界应当怎样提升？道德领导提出"先信奉，后领导"，意味着学校每位成员都应当保持对学校理念的"信奉"，以此替代下级对上级不加思考的"服从"。由于对价值理念的信奉、对学校愿景的追求、对教与学一系列信

---

① Lew Allen. From plaques to practice：How schools can breathe life into their guiding beliefs [J]. phi Delta Kappan, 2001（12）.

仰的承诺,人们会全力投入他们所信奉的东西。领导是为了不领导,最理想的领导方式是要在没有领导的情况下也使组织有效率。当人们通过道德规范要求自己,而不是通过"向上层负责""遵守规章制度"等这些外部因素来约束自己时,当每个人都能自己领导自己时,一种群体参与的、以自我管理为主的领导效果就形成了。

(一)领导权力现状

这种以权力分享为特点的领导模式并不是约定俗成的。我们认为,当前,校长负责制的领导体制下,学校管理主要处于外控管理的行政模式之下,以科层管理的上令下从为最高原则。学校内部的领导,近年来广受关注的问题是缺乏民主管理和必要的社会监督。例如,我们调查的一些地方,在对社会公益机构的"行风评议"中,教育首当其冲被认为存在严重的不正之风,公众对学校的指控有收费不规范、校长的权力膨胀,等等。尽管中国的校长和教师对道德领导概念并不陌生,但由于"效率至上"的绝对追求,学校管理中的管制现象普遍存在。在此,有必要先对体制和领导权力现实状况做一些分析。

新中国成立以来,学校领导体制在"校长负责制"的边缘上长期徘徊,但1985年以来以简政放权为核心的体制改革强调学校的负责和参与。在1985年《中共中央关于教育体制改革的决定》和1993年《中国教育改革和发展纲要》等政策文件的推进下,校长负责制成为我国当前教育领导体制的主要内容。

在改革开放的历史背景下,人们习惯用单一性概念去理解现行校长负责制的含义。这种观点认为,"校长全面负责"是校长负责制的唯一内涵,校长是学校的行政负责人,是学校法人代表,对外代表学校,对内负责领导全校工作,校长有管理自主权。回顾我国学校领导体制改革的轨迹,就能理解单一性概念的历史合理性。为了改变长期以来党支部领导下的校长分工负责制所带来的效率低下,突出以校长为核心的"一长制"是具有历史作用的。因为只有"校长全面负责",才反映了学校领导体制区别于其他领导体制的本质属性。"一长制"有许多优点，比如权力集中，责任明确，决策指挥耗时短、行动快、效率高等。学校管理要追求效率，就应当体现这种校长负责制。[①]

"校长全面负责"的历史功绩是巨大的，由于责、权、利的统一，增强了校长和学校管理人员的工作责任感，从而极大地提高了管理效能。但是，任何一种政策都不可能一成不变地实行下去，实际上，随着教育改革背景的诸多变化，现行校长负责制既有实施不力，也有政策扩大化等现象。由此，人们呼吁对校长负责制进行重构与改造（冯大鸣，2002）。有关调查也显示，现行校长负责制，需要提升除校长负责之外的其他内涵[②]。例如对四个平衡要素的强调：一是校长负责；二是设立审议机构；三是教职工的民主参与；四是党组织的政治作用（范国睿，2003）。综合各方意见，我们认为，当前校长负责制所存在的主要弊病在于。

• 学校仍然带有行政执行系统的模式。长期以来，校长角色被纳入行政干部系列，校长的基本功能是政治化的、行政性的，其职业特征并不突出。虽然校长负责制的宗旨之一是简政放权，但是由于我国教育行政体制长期以来都是中央集权模式，无论是教育行政机关还是地方政府，都不可能把学校的全部权力下放给校长。校长们反映最多的问题是各种行政干预以及条条框框的牵制，使得许多校长"有事不能为""有事非得为"，如强迫性的行政摊派，限制人事的聘用、管理，等等。因此，整体而言，以上令下从为最高原则的科层管理模式没有得到根本改变。

• 民主管理和民主监督尚未健全。在教育行政管理模式上，存在着行政部门包揽过多的问题。但是，在学校内部管理体制上，却又存在着

---

① 余白. 校长负责制不容否定——对黄兆龙先生《校长负责制就是"一长制"》的商榷 [J]. 中小学管理，2003（7）.

② 上海市黄浦区中小学"校长负责制"课题组. 关于实行中小学校长负责制的调查与研究 [J]. 思想理论教育，2004（4）.

民主管理和民主监督薄弱的情况。一些材料反映，校长在人事管理方面存在着任人唯亲、排除异己等现象。如安插自己的亲信占据重要的人事岗位，以便控制校务会议等决策机构，确立校长独断的合法性基础等①。

《中华人民共和国教育法》第 30 条规定："学校的教学和其他行政管理，由校长负责。"《中国教育改革发展纲要》也规定："中等及中等以下各类学校实行校长负责制。"由此，校长权力的法律依据是充分的。但是综观各种法律和政策文本，对权力范围没有做具体限定。学校的教学和行政事务错综复杂，在校长负责制的领导体制下，校长权力有哪些？权力究竟有多大？教师作为学校中主要的行为主体之一，他们又如何看待领导权力？这些方面，我们可借鉴国内一些颇有价值的研究来说明问题。

首先是关于校长的领导权。一份关于"中小学校长领导权力问题之调查"显示了校长和教师对校长权力大小的不同看法②。

第一，就教学管理权而言，校长认为"很大"和"较大"的比例为 76.8%，教师则为 85.1%；就学生管理权而言，校长认为"很大"和"较大"的比例为 77.6%，教师为 70.7%。由此可以看出，校长在教育教学、学生管理等方面的权力基本得到保证。

第二，在人事权和财务权方面，12.6% 的校长认为他们人事权很大，64.2% 的教师认为校长人事权很大；20.9% 的校长认为财务权很大，73.5% 的教师认为校长财务权很大。可见，教师和校长在这方面的认识有很大差异，即校长自认为权力太小，而在教师眼里却相当大。

校长代表国家管理学校，其本质工作是教育教学，校长的教育教学权究竟是哪些权力呢？我国教育管理体制属于中央集权的性质，根据《全国中小学校长任职条件和岗位要求》（1991）等文本中对校长职责

① 覃壮才. 我国中小学校长权力扩张的制度分析 ［J］. 教育理论与实践. 2002 (7).
② 吴志宏，谢旭红，周彬. 中小学校长领导权力问题之调查 ［J］. 教育评论，1999 (4).

的规定，校长的教育教学权主要体现为贯彻国家教育方针，组织学校教师实施国家课程计划①。在很长的历史时期内，校长教育教学上的权力是通过执行上级计划来实现的。因此，问卷调查中认为校长在教育教学、学生管理上享有较大权力，仅仅说明了校长在执行国家计划中对学校内部有比较大的决策权、指挥权。

其次是关于教师的领导权。校长领导权力的研究表明，校长希望得到更多的组阁权、解聘权、创收权等。但从另一方面，反映教师权利屡受校长权力侵害之苦，也是司空见惯的事。上面这项调查显示：教师对于学校民主管理的评价不高，与校长自评有显著差异。校长自己也承认，教师参与学校行政事务的机会不多。而教师则普遍认为很少有机会参与学校行政决策，教师只有执行权，没有批评权。校长看重的只是几个教学骨干，与教师之间缺乏沟通等。这份研究同时指出：虽然我国的中小学校都有教职工代表大会制度，但它们并没有在学校管理中起实质作用。校长们认为，教代会只要起到下情上达的作用就可以。教师认为，现在的教代会只用于校长布置工作，不能起到行政监督的作用。在对校长的访谈中有这样一些意见："手中一摊子事，太忙，没时间听教师意见""民主管理的重要性谁不知道，可太费时间""有健全的规章制度，比民主管理有用"等等。

以上事实说明了教师的民主权益得不到多少保障。

在领导权的问题上，道德领导思想关注教师教育教学自主权的问题。因此，我们的研究设置了这方面的调查。表5-3所示是校长和教师对教师教育教学自主权的看法，根据前面对教师"充溢"工作状态的描述，反映教师工作意义和教学自主权的要素为：教师有发现和探索新的观念的空间；有大量机会参与制订工作计划；决定自己的课堂工作时间表；积极参与课程和教学决策；有进行教学改革和实验的权力；有指导学生、评定学生的权利；有较多机会参加进修或培训；以及教师能

---

① 国家教委. 全国中小学校长任职条件和岗位要求（试行）［S］. 1991.6.25.

成为自我管理者等。

表5-3   教师教学自主权调查（%）

在学校工作中，教师	调查对象	完全没有	有一点	通常有	有很多
得以发现和探索新的观念	教师	6.5	51.6	32.3	9.7
	校长	0	28	64	8
有大量机会参与制订工作计划	教师	38.7	38.7	10.9	9.7
	校长	4	40	40	16
决定自己的课堂工作时间表	教师	35.5	41.9	10.9	9.7
	校长	28	28	40	4
积极参与课程和教学决策	教师	19.4	41.9	22.6	16.1
	校长	16	32	44	8
有进行教学改革和科研的权力	教师	10.9	45.2	32.3	9.7
	校长	8	12	56	24
有指导学生、评定学生的权利	教师	0	35.5	48.4	16.1
	校长	4	28	56	12
有较多机会参加进修或培训	教师	20	60	20	0
	校长	0	24	60	16
成为自我管理者	教师	32.3	38.7	22.6	6.5
	校长	8	16	60	16

从教师与校长的不同回答可以看出：

总体上，教师对于教学工作自主权的认同程度要比校长小得多，如大多数教师选择了"有一点"，大多数校长选择了"通常有"。

再从各个分项来看，教师认为自己在"指导学生、评定学生"方面的自主权是比较大的。

在所有选项中，教师认为在"进修或培训"方面的自主权较低；

而校长则认为大部分教师有条件成为自我管理者。

《中华人民共和国教育法》对教师的教育教学权利有明确的规定，从理想的状态来看，对于上述问题的回答应主要在"有很多"和"通常有"之间，但是现实中教师往往受到繁多的上级规范的压制，不得自由施展才华，他们对于"有意义教学"的体验是有限的。更有情绪性的观点认为，教学工作是"没有成就感的工作，充满痛苦的工作，付出和回报完全不成比例的工作①。"

关于教师教学自主权和教师工作负荷的问题已经受到关注，有学者指出，由于管理观念、管理作风、教师专业属性等因素的阻碍，影响了教师专业自主权的发挥（吴志宏，2002）。更有声音提出"有组织的舍弃"，呼吁应看到今天对教师不断叠加的压力，校长应考虑"有计划地减轻教师负荷"等②。

（二）"领导分享"的启示

关于学校领导体制和领导权力的分析说明，由于我国学校教师的自我管理程度低，教师专业自主权实现不够，以及一部分校长对于领导和管理的理解缺乏价值提升，权力失去控制等问题。授权、分权和实现自我领导的思想对我国实践具有很强的启示意义。先让我们记住麦格雷戈·伯恩斯的这段话：

在现实生活中，给领导者们一个最实际的建议是：不要把"兵卒"就看成是兵卒，也不要把"王"就看成是王，而应该把所有人都看成是他们本身③。

这种被西方学者称为是"建构主义"的领导观阐明，领导是一个

---

① 来源于笔者对教师的访谈。
② 冯大鸣. 有组织的舍弃［J］. 中小学管理. 2003（6）.
③ Burns J M. Leadership. New York：Harpercollins. 1978：461.

组织或一个共同体中对所有成员承担责任的人，而不是某一个个体扮演
的角色。那些能够帮助成员建构意义和发展成员共同参与制定学校目的
的领导者，才是真正意义的领导。"领导分享"的观点带给我们的启
示是。

1. 充分发展"领导的替身"

"以文化的力量实现领导"预设了学校中的人们具有"追随理念而
不是追随领导者个人""权力给予而不是权力凌驾""尊重职业伦理"
"保持同志式关怀"等权力共享的思想。在一个人人需要工作价值、生
活意义，需要激励与认同、引领和帮助的时代，这些基于道德承诺的管
理伦理，是人们发现自己、提升自己、成为自己的领导者的关键。

在发展领导的替身中，首要工作是确立"共同体规范"，这种价值
观内核，确定了学生、教师、家长的道德责任和义务。在一个价值传承
的共同体内，人们由于共享的信仰而相互关切，成员之间拥有家庭、邻
里般的紧密关系。"共同体规范"关注正义之行和道德之律，前面我们
已有充分阐述。

每一所学校都有其自身的文化特点，以"文化力实现领导"提示
我们，要在本土文化中改变控制式领导，发展各种"领导替代"。例如
下面案例中的"思想研讨会"，作为一种领导替身在局前街小学发挥着
价值引领的作用。

[案例 5-3] "思想研讨会" 孵化学校知识[①]

局小从 2004 年起开始策划召开学校名、特、优教师教育教学思想
的系列研讨会，以实现"资源人"的管理，让"人资源"的巨大精神
力量，在开放的环境中施以管理的能动作用，以形成学校生长力。我们
首先决定召开蒋纯老师教育教学思想研讨会。她曾经是局小乃至江苏教

---

① 改编自李伟平."思想研讨会"孵化学校知识 [J]．江苏教育，2006（7）.

育的一面旗帜。

我们做的第一件事是收集、整理蒋老师的教育教学论文和教案,这样,由向全校教师宣传蒋纯老师的教育教学思想转变为让全校教师参与收集整理蒋老师的资料并总结提炼蒋老师的思想。工作一布置,全校教师各显神通,有的翻出了自己的听课笔记,整理蒋老师的教案;有的走访蒋老师的老同事、学生及学生家长,了解蒋老师的教育教学故事;有的采访蒋老师及其家人,了解蒋老师的思想及生活。有一位教师还弄到了当年广州地区蒋老师的上课教案和讲座稿的油印册子。

研讨会的那一天,我们把编印的《蒋纯老师教育教学思想拾零》发给与会代表,让大家全面系统地了解蒋老师的教育教学思想;组织蒋老师的徒弟上示范课,彰显蒋老师的教学风格;还请来了蒋老师的一些特级教师朋友……

全校教师都参与了研讨活动,历时一个学期。在这个过程中,全校教师都深深地被感染了。如何在新的时期继承和发扬蒋纯老师的教育思想,努力让自己的教育生涯同样永远焕发勃勃生机。教师们思考着,并实践着!

在这所学校中,校长与教师的关系类似于大家族中的当家人与族员,校长一直是在以"促进者"的角色培育教师。

盟约的、情感的联结,使共同体中的成员追随共享的价值观,而不是某一位领导者个人,价值理念的牵引使他们实现自我领导,然后再通过自我去领导他人。由于大家都来参与领导,领导的密度得到加强。原来是个别人居于高位才有领导,现在转化为群体成员共同承担责任和义务,也共同分享领导和决策。

2. 理解领导是一种"管家"职位

领导是一种"管家"职位,其意义是"通过支持服务来进行领导"。

在学校共同体中，虽然起初也需要领导者通过热情为大家服务来体现领导，然而更重要的，是领导者通过长期地引领员工，让服务对象以自己的方式确定自己的需要。自我领导是管理的终极目的，领导是为了不领导。

教师与管理人员作为学校的服务人员，他们是学生共同的监护人，大家联合起来承担一种"管家"的职责。这种管家角色，不是纯粹听命于上级指挥的规章制度的执行者，而是有"心灵"和"头脑"的。这其中，在培养孩子问题上有正确的教育观是最根本的。萨乔万尼的著作中，也有许多案例展示了这种"管家"职位的实践。例如他转述了一位成功却低调的校长对自己工作的描述：

我能想到，过去22年我在领导方式方面所取得的成功没有什么文献上的意义。我的方式是委托和授权，而我的成功是通过其他人来取得的。假如说我拥有力量的话，那只是作为一个促进者而已。（萨乔万尼，2002：139）

领导是要用不同的方式**触动**组织成员，开掘他们的情感、呼唤他们的价值信念，这是以道德为基础的领导的根本。

五、创造小型化的组织条件

道德领导思想的应用还体现在具体的组织形式上。与我国教育改革现实中的呼唤相顺应，小型学校的办学思路为我们提供了有益的启示。

（一）我国学校的现状

以课程改革为例，我国学校校长在教材选择、课程设置上有了更多的自主权，但是由于对统一的国家课程的长期依赖，人们已经习惯于标准化、产业化的运作，学校在实施新课程理念上步履蹒跚。相当多的教育工作者认为，新课程的用意是好的，希望留给教师、学生更多的空间，但新课程更适宜的土壤是小班化的教育环境。只有**小班化**，才是"自主探索"和"小组合作"的适宜环境。在目前普遍是一个班五六十人的大环境下，新课程的理念是难以实施的。

然而，只有"小型学校"才有"高期望"，小学校能促进学生更好地学习，纪律问题较少，领导更起作用，教师之间更有同业责任感，工作也更有效率等。毫无疑问，"小型学校、小班化"能更好地实践"关注每一个学生"。

要实现小型学校、小班化，最大的障碍仍然是人们不愿舍弃"规模效率"，这在我国许多中小学校，特别是名校尤其明显。据了解，我们的中小学校只要在社会上稍有声誉，一个教学班50～60名学生几乎是常态，而在有些地区的重点高中，由于各方压力，班容量甚至要达到70～80名学生。尽管出现这样一种现象的原因是复杂的（如资源不均等），但也不能回避领导者把注意力过分集中在学校经营者的利益上。在这一问题上，作为教育行政部门应当有所作为，坚持把学生利益放在首位。

（二）主张"小型学校"为我们带来的启示

1. 学校的运作模式向"家庭化"靠近

萨乔万尼屡次提到他情有独钟的教会学校，对其赞赏有加，这除了可能有宗教信仰的原因外，更主要的是他认为许多教会学校的确是成功学校的典型。这些学校最鲜明的特征是办学理念特别清楚，规模特别小，学校教师与学生熟悉到相互都能喊出各自的名字。熟悉美国教会学校的人都清楚，它们的特点除了共同的宗教信仰外，更主要的是比较"家庭化"，教师就像父母一样照管学生，人与人之间的亲密非一般的组织能够达到。我们在走访中也看到几所农村中小学校，学校规模很小，但有一种特别的情感教育的特征，更令人惊奇的是他们能取得非常不错的业绩。

可见，"家庭模式"的强调，可以培植一种重视情感联结的校园文化。

2. 体现"关怀伦理"

借鉴哈贝马斯关于"系统世界"和"生活世界"的划分，诊断出学校也有"生活世界殖民化"的病理特征。由此，要培育健康的"生活世界"，保障它不被现代官僚体制或工具主义价值观所侵蚀，就应当反映学校生活的人文性，还给学生一个生动活泼的世界。

学校作为一个共同体，不仅要关注竞争力，而且要关注可持续性和组织健康。小型学校对小孩子来说是亲近的、灵沁的，它是体现"关怀伦理"的最现实的方法，它便于更细致地关注学生的品格养成。人类之所以区别于动物，一是因为人会思考、学习；二是因为人有丰富的感情。而人之所以能够从蒙昧时代走到今天的盛世文明，就是因为人是有精神有情感的。

总之，小型学校便于缔造和谐的"生活世界"，促进学校人际关系的兴旺。

六、中国国情下的应用局限

这里，我们用文化比较的方法阐述了萨乔万尼道德领导思想对我国学校管理实践的启示。中国传统文化尽管并不缺乏以道德、伦理为本位的领导思想，但是这种思想缺少"真理性"的根基。我国传统注重道德的普遍性原则以及领导人道德品质修养，这在一定程度上束缚了国人对客观真理的探索。

改革开放30年，芜菁并存的西方文化大量冲击着中国人的思维方式和行为实践，我们在引入西方求知精神、实验精神等这些文明精华的同时，不可避免地也带进了一部分糟粕，产生了一些不良影响。例如金钱崇拜、商业习气等。尽管在市场化初步形成的这一历史时期内，以

"效率"和"发展"为主要选择，对中国摆脱贫穷落后的面貌具有深远历史意义。但是，"转型期"的政策毕竟不能被无止境地强调。在当今经济高速增长的同时，"信任短缺"似乎也成了社会各界的严重问题。这一逻辑推演到教育界，便是学校管理活动中"走捷径"的做法，不重视教育的可持续发展与学校道德价值的建设。

道德领导思想强调学校作为一种公共事业机构，必须关注道德目的，以尊重学生和教师的长远发展为前提，这种关注超越了纯学术的关注。这种思想同时也提示我们，当今西方管理思想从侧重研究组织、制度等管理"硬件"，向侧重研究价值、态度等管理"软件"转移的人文化趋势。

道德领导思想标志了当代教育管理学的一种世界潮流。但是，值得提出的是，我们在应用这一思想中某些有价值的见解和做法的同时，也要注意结合本国国情。因为，毕竟西方发达国家在经过百年发展后，无论是行政体制还是教育管理传统，已经形成了相对完善的法制和规章，因而以"德治"思想作为对相对僵硬的"法治"原则的调节是符合其发展要求的。而在我国，经济转型期还没有完全过渡，传统文化中道德绝对主义的倾向仍然存在，建设"法治"社会的理想还远远没有完成，因此对于道德领导的基本思想，只能从实际出发，有所选择地应用。由此，最后需要明确的两个重要观点是。

第一，道德领导思想还远未成为管理思想的主流。我们必须承认，管理的主流仍然是技术主义的，探讨道德领导的艺术只是激发我们在内心深处探询"做正确的事"。但是正像萨乔万尼指出的，"道德权威、盟约共同体、情感、责任、义务——这些都代表着危险的理念。一方面，倘若应用恰当，它们能够帮助我们改善学校；而另一方面，同样这剂药，会变成一种荒谬的领导实践。"①

过分地强调主观而应用不当的例子很多，管理永远需要科学与艺术

---

① Sergiovanni T J. Moral Leadership：Getting to the Heart of School Improvement ［M］. San Francisco：Jossey-Bass，1992.

的平衡。需要申明的是，道德权威是一种价值扩展的权威，它的提出并不是谋求以一种理论取代另一种理论。提出道德领导思想，是因为看到现今教育领导理论和实践中，理性、科学、科层权威被作为唯一合理的管理价值观。这种几乎完全排斥道德权威、情感契约的领导观，必然带来严重的问题。但是，我们并不能因此而全盘否定传统管理理论的智慧。

单纯注重领导价值，往往对领导过程的复杂性估计不足，从而使价值追求难以转化为真实的力量。

第二，道德领导思想和管理主义的价值观并不是互相排斥、非此即彼的。管理和道德作为人类社会的两大价值系统，为人类社会所不可或缺。应当看到的是，道德领导思想与管理的内在要求是一致的。这不仅因为自古以来管理作为一项调动人的活动回避不了具体行为中的道德问题，而且因为道德领导思想对更持久的动机和更高层次激励观的强调，都体现了对学校管理活动的终极关怀。这种思想推演至我们强调"以德治校"和"以法治校"的统一，在完善学校法制建设的同时，紧密结合"以德治校"的领导策略。

道德领导者的培养并不仅仅是我们头脑里的事，更是我们教育工作者全程奉献爱心的漫长之旅。

参 考 文 献

[1] 阿瑟·W. 库姆斯，安·B. 迈泽，卡瑟琳·S. 惠特克. 学校领导新概念：以人为本的挑战 [M]. 罗德荣，黄爱萍，等，译. 北京：中国宇航出版社，2002.

[2] 埃德加·H. 沙因. 企业文化生存指南 [M]. 郝继涛，译. 北京：机械工业出版社，2004.

[3] C. L. 巴纳德. 经理人员的职能 [M]. 孙耀君，等，译. 北京：中国社会科学出版社，1997.

[4] 陈玉琨. 发展性教育质量保障的理论与操作 [M]. 北京：商务印书馆，2006.

[5] 陈如平. 美国教育管理思想史国外中小学教育面面观 [M]. 海口：海南出版社，2000.

[6] 陈启能. 美国的思想库和美国社会：访美札记 [M]. 北京：社会科学文献出版社，1987.

[7] 陈桂生. 学校管理实话 [M]. 上海：华东师范大学出版社，1986.

[8] 查尔斯·博哲斯. 美国思想渊源 [M]. 符鸿令，朱光骊，译. 太原：山西人民出版社，1987.

[9] 褚宏启. 中国教育管理评论（1）[M]. 北京：教育科学出版社，2003.

[10] 杜维明. 东亚价值与多元现代性 [M]. 北京：中国社会科学出版社，2001.

[11] 戴木才. 管理的伦理法则 [M]. 南昌：江西人民出版社，2001.

[12] 冯大鸣. 沟通与分享 [M]. 上海：上海教育出版社，2002.

[13] 冯大鸣. 试论校长负责制的重构与再造 [J]. 教育理论与实践，2003（1）.

[14] 冯大鸣. 有组织的舍弃 [J]. 中小学管理，2003（6）.

[15] 范国睿. 学校管理的理论与实务 [M]. 上海：华东师范大学出版社，2003.

［16］龚群. 道德乌托邦的重构：哈贝马斯交往伦理思想研究［M］. 北京：商务印书馆，2003.

［17］怀特. 分析的时代：二十世纪的哲学家［M］. 杜任之，主译. 北京：商务印书馆，1964.

［18］哈贝马斯·尤尔根. 交往行为理论（第一卷）：行为合理性与社会合理性［M］. 曹卫东，译. 上海：上海人民出版社，2004.

［19］胡惠闵. 指向教师专业发展的学校管理改革：上海市打虎山路第一小学个案研究［J］. 上海：华东师范大学博士学位论文，2003.

［20］贺麟. 文化与人生［M］. 上海：上海书店，1991.

［21］霍金森. 领导哲学［M］. 刘林平，等，译. 昆明：云南人民出版社，1987.

［22］江志正. 变革时代中国民教育阶段校长的领导取向［J］. 教育研究月刊（台湾），2003（7）.

［23］刘云柏. 中国儒家管理思想［M］. 上海：上海人民出版社，1990.

［24］刘承华. 文化与人格［M］. 合肥：中国科学技术出版社，2002.

［25］刘建军. 领导学原理：科学与艺术［M］. 上海：复旦大学出版社，2001.

［26］李义胜. "文化模式"理论在我国学校管理中的应用［J］. 教学与管理，2003.

［27］罗伯特·A. 达尔. 现代政治分析［M］. 王沪宁，陈峰，译. 上海：上海译文出版社，1987.

［28］罗志野. 美国文化和美国哲学［M］. 桂林：广西师范大学出版社，1992.

［29］林恩·夏普·佩因. 公司道德：高绩效企业的基石［M］. 杨涤，译. 北京：机械工业出版社，2003.

［30］马克·汉森. 教育管理与组织行为［M］. 冯大鸣，译. 上海：上海教育出版社，2005.

［31］迈克尔·富兰. 变革的力量：深度变革［M］. 中央教育科学研究所，译. 北京：教育科学出版社，2004.

［32］迈克尔·富兰. 学校领导的道德使命［M］. 中央教育科学研究所，等，译. 北京：教育科学出版社，2005.

［33］乔恩·L. 皮尔斯，约翰·W. 纽斯特罗姆. 领导者与领导过程［M］. 北京华译网翻译公司，译. 北京：中国人民大学出版社，2003.

［34］乔恩·P. 豪威尔，科斯特利·L. 丹. 有效领导力［M］. 付彦，等，译. 北京：机械工业出版社，2003.

[35] 孙伯鍨，张一兵. 西方最新哲学流派20讲［M］. 南京：南京工学院出版社，1987.

[36] 史蒂芬·罗. 再看西方［M］. 林泽铨，刘景联，等，译. 上海：上海译文出版社，1998.

[37] 托尼·布什. 当代西方教育管理模式［M］. 强海燕，主译. 南京：南京师范大学出版社，1998.

[38] 托马斯·J. 萨乔万尼. 道德领导：抵及学校改善的核心［M］. 冯大鸣，译. 上海：上海教育出版社，2002.

[39] 托马斯·J. 萨乔万尼. 校长学：一种反思性实践观［M］. 张虹，译. 上海：上海教育出版社，2004.

[40] 陶西平. 引领教育发展与改革的潮流：关于优质中学建设的几个问题［J］. 北京教育：普教版，2005（3）.

[41] 滕大春. 今日美国教育［M］. 北京：人民教育出版社，1980.

[42] 王吉鹏. 价值观的起飞与落地：企业文化建设实证分享［M］. 北京：电子工业出版社，2004.

[43] 王益. 变革时代的领导力［M］. 北京：清华大学出版社，2003.

[44] 邬志辉，陈学军，王海英. 优质学校的概念、建设过程与指标框架研究［J］. 东北师范大学学报（哲学社会科学版），2004（3）.

[45] 吴志宏，谢旭红，周彬. 中小学校长领导权力问题之调查［J］. 教育评论，1999（4）.

[46] 吴志宏. 教育行政学［M］. 北京：人民教育出版社，2000.

[47] 吴志宏. 把教育专业自主权回归教师［J］. 教育发展研究，2002（9）.

[48] 吴维库，富萍萍，刘军. 基于价值观的领导：中国第一部企业高层领导实证研究［M］. 北京：经济科学出版社，2002.

[49] 威廉·D. 希特. 领导者行动准则［M］. 姜文波，译. 北京：机械工业出版社，2004.

[50] 威廉·巴雷特. 非理性的人：存在主义哲学研究［M］. 杨照明，等，译. 北京：商务印书馆，2004.

[51] 夏基松. 现代西方哲学思潮评价［M］. 上海：复旦大学出版社，1983.

[52] 夏基松. 现代西方社会思潮［M］. 南京：南京大学出版社，1986.

[53] 尹星凡. 现代西方人文哲学［M］. 南昌：江西人民出版社，2003.

［54］约翰·L. 汤普森. 愿景领导［M］. 王小兰，马静，张丽萍，译. 大连：东北财经大学出版社，2003.

［55］余白. 校长负责制不容否定［J］. 中小学管理，2003（7）.

［56］袁振国. 教育改革论［M］. 南京：江苏教育出版社，1992.

［57］袁振国. 教育新理念［M］. 北京：教育科学出版社，2002.

［58］袁振国. 校长的文化使命［J］. 中小学管理，2002（12）.

［59］张新平. 教育组织范式论［M］. 南京：江苏教育出版社，2001.

［60］郑燕祥. 教育领导与改革：新范式［M］. 台北：高等教育文化事业有限公司，2003.

［61］赵详麟. 外国教育家评传［M］. 上海：上海教育出版社，1992.

［62］詹姆斯·麦格雷戈·伯恩斯. 领袖论［M］. 刘李胜，等，译. 北京：中国社会科学出版社，1996.

［63］詹姆斯·库泽斯，巴里·波斯纳. 领导力［M］. 李丽林，杨振东，译. 北京：电子工业出版社，2004.

［64］Amitai Etzioni. A Comparative Analysis of Complex Organizations［M］. New York：The Free Press，1975.

［65］Amitai Etzioni. The Moral Dimension：Toward a New Economics［M］. New York：The Free Press，1988.

［66］Amitai Etzioni. The New Golden Rule：Community and Morality in a Democratic Society［M］. New York：Basic Books，1996.

［67］Amitai Etzioni. The Spirit of Community Rights，Responsibilities and The Communitarian Agenda［M］. New York：Crown Publishers，1993.

［68］Blau P M，Scott W R. Formal Organizations：A Comparative Approach［M］. San Francisco：Chandler Publishing Company，1962.

［69］Christopher Hodgkinson. Educational Leadership：The Moral Art［M］. Albany：State University of New York Press，1991.

［70］Cohen Michael. Instructional Management and Social Conditions in Effective Schools［R］//Allan Odden，Dean Webb. School Finance and School Improvement：Linkages in the 1980s（Fourth Annual Yearbook of the American Education Finance Association）. Hardcover：Ballinger，1983.

［71］Colin W. Evers，Gabriele Lakomski. Exploring Educational Administration［M］.

New York: Pergamon Press, 1996.

[72] Donmoyer R. The Continuing Quest for a Knowledge Base: 1976 – 1998 [G] // Murphy Joseph, Louis Karen Seashore. Handbook of Research on Educational Administration. San Francisco: Jossey-Bass, 1999.

[73] Hodgkinson C. Educational Leadership [M]. Albany: SUNY Press, 1991.

[74] Joseph H. Murry. A study of the moral aspect of leadership in an urban school context [D]. ProQuest in Bell & Howell Information and Learning Company, 1995 (UMI 9603404).

[75] Joyce L. Epstein, Karen clark Salinas. Partnering with Families and Communities [J]. Education Leadership, 2004, 61 (8).

[76] Leithwood K, Duck D L. A Century's quest to understand school leadership [G] //Murphy Joseph, Louis Karen Seashore. Handbook of research on educational administration. San Francisco: Jossey-Bass, 1999.

[77] Lewis H. A Question of Values [M]. New York: Harper Collins, 1990.

[78] McConnell James. The first year of the headship: The lifeworld of beginning leadership [D]. ProQuest in Bell & Howell Information and Learning Company, 2002 (UMI NQ81672).

[79] Mintzberg Henry. The Nature of Managerial Work [M]. New York: Harper and Row, 1973.

[80] Mintzberg Henry. The Structure of Organizations [M]. New York: Wiley, 1979.

[81] Pesters T J, Robert H W. In Search of Excellence [M]. New York: Harper and Row, 1982.

[82] Richard Bates. Management and the Culture of the School [G] //Richard Bates, Course Team. Management of Resources in Schools: Study Guide I. Australia Geelong: Deakin University, 1981.

[83] Schon Donald A. The Reflective Practitioner: How Professionals Think in Action [M]. New York: Basic Books, 1983.

[84] Sergiovanni T J. Toward a Theory of Clinical Supervision [J]. Journal of Research and Development in Education, 1976, 9 (2).

[85] Sergiovanni T J. Reforming Teacher Evaluation: Naturalistic Alternatives [J]. Educational Leadership, 1977 (May): 602 – 607.

[86] Sergiovanni T J. Is Leadership the Next Great Training Robbery? [J]. Educational Leadership, 1979, 36 (6).

[87] Sergiovanni T J. Ten Principles of Quality Leadership [J]. Educational Leadership, 1982, 39 (5).

[88] Sergiovanni T J. Robert J. Starratt. Supervision: Human Perspectives [M]. Third Edition. New York: McGraw-Hill, 1983.

[89] Sergiovanni T J. Leadership and Excellence in Schooling. Educational Leadership [J], 1984, 41 (5).

[90] Sergiovanni T J. The Principalship: A Reflective Practice Perspective [M]. Boston: Allyn and Bacon, 1987.

[91] Sergiovanni T J. Value-Added Leadership [M]. San Diego: Harcourt Brace Jovanovich, 1990.

[92] Sergiovanni T J. Moral Leadership: Getting to the Heart of School Improvement [M]. San Francisco: Jossey-Bass, 1992.

[93] Sergiovanni T J. Small Schools, Great Expectations. Educational Leadership [J], 1995, 53 (2).

[94] Sergiovanni T J. Leadership For the Schoolhouse: How is It Different? Why is It Important? [M]. San Francisco: Jossey-Bass, 1996.

[95] Sergiovanni T J. The Lifeworld of Leadership [M]. San Francisco: Jossey-Bass, 2000.

[96] Sergiovanni T J. The Principalship: A Reflective Practice Perspective. Boston: Allyn and Bacon, 2001.

[97] Shakeshaft C. Women in Educational Administration [R]. Calif. : Newbury Park: Sage Publications, 1987.

[98] Starratt R J. Leaders with Vision [M]. Thousand Oaks: Corwin Press, 1995.

[99] Warren Bennis, Burt Nanus. Leaders: The Strategies for Taking Charge [M]. New York: Harper and Row, 1985.

[100] Weick K E. Administering Education in Loosely Coupled Schools. Phi Delta Kappan [J]. 1982 (2).

[101] William G, Cunningham. Educational Administration: A Problem-Based Approach [M]. Boston: Allyn and Bacon, 2000.

责任编辑　杨晓琳
版式设计　贾艳凤
责任校对　张　珍
责任印制　曲凤玲

图书在版编目(CIP)数据

道德领导:新型的教育领导者/蔡怡著.—修订版.
北京:教育科学出版社,2009.1(2009.10重印)
　(新世纪教师教育丛书/袁振国主编)
　ISBN 978 - 7 - 5041 - 4634 - 2

　Ⅰ.道…　Ⅱ.蔡…　Ⅲ.教育管理学　Ⅳ.G46

　中国版本图书馆 CIP 数据核字(2008)第 191416 号

出版发行　*教育科学出版社*
社　　址　北京·朝阳区安慧北里安园甲 9 号　　市场部电话　010 - 64989009
邮　　编　100101　　　　　　　　　　　　　编辑部电话　010 - 64989593
传　　真　010 - 64891796　　　　　　　　　网　　址　http://www.esph.com.cn

经　　销　各地新华书店
制　　作　北京金奥都图文制作中心
印　　刷　北京中科印刷有限公司
开　　本　169 毫米×239 毫米　1/16
印　　张　12　　　　　　　　　　　　　　　版　　次　2009 年 1 月第 1 版
字　　数　160 千　　　　　　　　　　　　　印　　次　2009 年 10 月第 2 次印刷
定　　价　24.00 元　　　　　　　　　　　　印　　数　3 001— 6 000 册

如有印装质量问题,请到所购图书销售部门联系调换。